CANADA
À chaque année, son histoire

Texte de Elizabeth M

Illustrations de Sydney

Traduction de Josée Latu

Bayard

CANADA

À Elaine Welden, une grande Canadienne et une mère aimante,
dédicacé au nom de Barbara Morgan — E.M.
À tous les enfants du Canada — S.S.

REMERCIEMENTS

Merci aux auteurs de la série The Kids Book Of, qui ont autorisé la reproduction de leurs écrits dans ce livre :
Jane Drake, Barbara Greenwood, Carlotta Hacker, Pat Hancock, Ann Love, Briony Penn,
Valerie Wyatt et feu Diane Silvey. J'apprécie vraiment votre contribution.

Un grand merci à Sydney Smith, pour ses fabuleuses illustrations qui donnent vie à l'histoire canadienne.

L'organisation des nombreux éléments de ce livre représentait une tâche très complexe, et Katie Scott, l'éditrice,
a fait un excellent travail. J'ai aussi beaucoup apprécié ses commentaires et suggestions tout au long du processus. Julia Naimska,
graphiste, a mis ses merveilleuses habiletés créatives au service d'une tâche difficile :
combiner toutes les illustrations et les éléments de texte. Comme toujours, merci !

Je remercie Catherine Dorton, réviseure, Olga Kidisevic, vérificatrice des faits, et DoEun Kwon, directrice de la production, qui ont
lu le texte très attentivement et corrigé les erreurs. Merci également à notre examinateur scientifique, Dean F. Oliver, directeur de
recherche au Musée canadien de l'histoire, et à toute l'équipe de Kids Can Press.

Je suis toujours reconnaissante pour le soutien de mon père et de mes frères, Douglas et John.
Et un merci bien spécial à Paul, un grand Canadien qui me supporte d'une année à l'autre !

Ce livre contient des extraits de *The Kids Book of Aboriginal Peoples in Canada*, *The Kids Book of Canada*, *The Kids Book of Canada
at War*, *The Kids Book of the Far North*, *The Kids Book of Canadian Firsts*, *The Kids Book of Canadian Geography*, *The Kids Book
of Canadian History*, *The Kids Book of Canadian Prime Ministers*, *The Kids Book of Great Canadians* et de *The Kids Book of Great
Canadian Women*. Nous remercions les auteurs de ces livres qui nous ont permis de reproduire leurs textes.

Catalogage avant publication de Bibliothèque et Archives nationales
du Québec et Bibliothèque et Archives Canada

MacLeod, Elizabeth

[Canada year by year. Français]

Canada : à chaque année, son histoire

Traduction de : Canada year by year.
Pour les jeunes de 9 ans et plus.

ISBN 978-2-89770-058-4

1. Canada - Histoire - Ouvrages pour la jeunesse. I. Smith, Sydney,
1980- . II. Titre. III. Titre : Canada year by year. Français.

FC172.M3514 2017   j971   C2016-941999-1

Dépôt légal - Bibliothèque et Archives nationales du Québec, 2017
Bibliothèque et Archives Canada, 2017

Titre original : *Canada year by year* de Elizabeth MacLeod, Kids Can
Press Ltd, 25 Dockside Drive, Toronto, ON M5A OB5,
978-1-77138-397-4, © 2016 Kids Can Press

Publié avec l'autorisation de Kids Can Press Ltd., Toronto, Canada.

À la réalisation chez Kids Can Press
Texte : © Elizabeth MacLeod, 2016
Illustrations : © Sydney Smith, 2016
Conception éditoriale : Katie Scott
Conception graphique : Julia Naimska

À la réalisation chez Bayard Canada
Direction éditoriale : Sylvie Roberge
Direction littéraire et artistique : Maxime P. Bélanger
Traduction : Josée Latulippe
Révision : Sophie Sainte-Marie
Conception de la couverture : Danielle Dugal
Mise en pages intérieure : Danielle Dugal

© Bayard Canada Livres inc. 2017

Financé par le gouvernement du Canada
Funded by the Government of Canada   Canadä

Nous reconnaissons l'appui financier du gouvernement du Canada.

Conseil des arts   Canada Council
du Canada   for the Arts

Nous remercions le Conseil des arts du Canada de l'aide accordée
à notre programme de publication.

Nous reconnaissons l'aide financière du gouvernement du Canada par
l'entremise du Programme national de traduction pour l'édition du
livre, une initiative de *la Feuille de route pour les langues officielles
du Canada 2013-2018 : éducation, immigration, communauté*,
pour nos activités de traduction.

Cet ouvrage a été publié avec le soutien de la SODEC.
Gouvernement du Québec - Programme de crédit d'impôt
pour l'édition de livres - Gestion SODEC.

Bayard Canada Livres
4475, rue Frontenac
Montréal (Québec) Canada H2H 2S2
edition@bayardcanada.com - bayardlivres.ca

SOMMAIRE

LA NAISSANCE D'UN PAYS

Le 1er juillet 1867, sur le coup de minuit, les Canadiens commencent à célébrer la naissance de leur pays. Les armes à feu retentissent, les cloches sonnent et la foule applaudit. À Ottawa, la capitale, on allume un immense feu de joie. Même si c'est le milieu de la nuit, les gens descendent dans les rues.

Cet après-midi-là, des défilés menés par une fanfare parcourent les rues principales de plusieurs villes et villages. Dans chacune des provinces fondatrices, le soleil est au rendez-vous. C'est une journée parfaite pour célébrer. Le soir, le ciel s'illumine de feux d'artifice, puis les Canadiens, fatigués mais heureux, rentrent chez eux après un jour historique. Pour la première fois, alors que leur nation prend place dans le monde, ils ressentent un grand sentiment d'unité. Ils espèrent un avenir prometteur, fait de croissance et de prospérité.

Si le Canada ne devient un pays qu'en 1867, il a déjà une longue histoire. En l'an 1000, les Vikings, premiers explorateurs arrivant d'Europe, sont accueillis par des peuples autochtones qui habitent depuis des milliers d'années ce qui est aujourd'hui Terre-Neuve. Le nom Canada vient en fait du mot huron-iroquois *kanata*, qui signifie «village». Autour de 1535, l'explorateur français Jacques Cartier commence à utiliser le nom Canada pour désigner certaines parties du pays.

Les peuples autochtones savaient survivre au climat froid et rude. Certains de ces groupes avaient appris à cultiver la terre et à l'entretenir pour produire de la nourriture en abondance. Lorsque les Européens établissent des colonies au 17e siècle, les peuples autochtones leur apprennent à chasser et à pêcher. Ils savent aussi quelles plantes possèdent des propriétés médicinales. Leurs connaissances sauvent la vie de nombreux explorateurs et colons.

Tout au long de son histoire, le Canada a été un lieu où l'on vient s'établir. Avant de devenir un pays autonome, il a fait partie de la colonie appelée la Nouvelle-France, puis des colonies de l'Amérique du Nord britannique. Aujourd'hui encore, quelque 250 000 nouveaux arrivants immigrent au Canada chaque année, apportant des compétences qui contribuent à faire du pays un endroit où il fait bon vivre.

L'histoire du Canada, c'est celle de son peuple et de ses inventions, des découvertes et des événements qui ont changé le monde et notre façon de vivre. Ce livre examine cette histoire, au fil des ans, de 1867 à 2017. Aucun livre ne pourrait contenir tous les moments de l'histoire du pays, mais nous présentons ici plusieurs événements marquants.

Ces événements, tant positifs que négatifs, ont transformé la vie des Canadiens et des Canadiennes. Les citoyens de ce pays continueront de façonner non seulement le Canada, mais le monde entier.

Tout un pays!

Le Canada est très vaste : il s'agit du deuxième plus grand pays du monde. Il possède environ 10 % des forêts de la planète. Et certains de ses parcs sont plus vastes que des pays entiers !

Le Canada a, de loin, le plus long littoral et, de toutes les baies du monde, la baie d'Hudson est celle qui a la plus longue côte. On trouve des milliers de lacs au Canada, plus que dans le reste du globe. Cela mérite certainement d'être célébré !

UN NOUVEAU PAYS 1867-1884

En 1867, le Canada devient un nouveau pays, une fédération de quatre provinces seulement. Les Canadiens sont remplis d'espoir et d'enthousiasme en voyant leur nation se développer.

Au milieu du 19e siècle, la plupart des Canadiens sont des agriculteurs. Dans les régions rurales, la forêt représente une industrie importante, et l'exploitation minière est en croissance. Dans bien des villes, avec le développement de l'industrie manufacturière, les gens travaillent dans des usines et des ateliers.

Dans les années 1860, les rues canadiennes sont très différentes de ce qu'elles sont aujourd'hui. Il n'y a pas d'automobiles. Les rues et les immeubles de bureaux sont illuminés par des lampes à gaz, et non pas à l'électricité comme c'est le cas de nos jours. Dans les maisons, les gens s'éclairent à la chandelle ou avec des lampes à huile ; ils font la cuisine sur des poêles à bois.

À la même époque, les technologies transforment la vie quotidienne. Le chemin de fer relie de plus en plus de villes. Les distances qu'on mettait des jours à parcourir à cheval peuvent désormais être franchies en quelques heures. Le courrier est aussi transporté plus vite par train. Un câble sous-marin traverse l'océan Atlantique, reliant Terre-Neuve à l'Irlande. Le Canada a alors accès plus rapidement aux nouvelles provenant d'Europe.

1867 ▪ La Confédération

Au début des années 1860, les colonies formant ce qui est aujourd'hui le Canada savent qu'un changement s'impose. Elles craignent que les États-Unis prennent le contrôle de leur territoire, et la Grande-Bretagne ne veut plus payer pour les défendre. De plus, les colonies ne se développent pas aussi rapidement qu'elles le pourraient. En effet, elles ont de la difficulté à se vendre des biens entre elles, car les moyens de transport qui les relient sont très peu efficaces. Elles songent donc à se regrouper pour renforcer leur position et leur réussite.

Il faudra trois conférences, de nombreux débats et presque trois ans… mais, le 1er juillet 1867, un nouveau pays, le Canada, est finalement créé. Il est composé des provinces du Nouveau-Brunswick, de la Nouvelle-Écosse, de l'Ontario (anciennement le Haut-Canada) et du Québec (anciennement le Bas-Canada). La Confédération, c'est-à-dire l'union des provinces pour former un nouveau pays, repose sur la vision et la détermination des Pères de la Fédération, dont bon nombre rêvaient d'une nouvelle nation puissante qui finirait par s'étendre de l'Atlantique au Pacifique.

Les plus célèbres Pères de la Fédération

George Brown a représenté le Haut-Canada dans les discussions sur la Confédération. Excellent orateur, il a été l'un des premiers à proposer d'unir les colonies. Avant de devenir politicien, il a fondé un journal, le *Globe*, de Toronto, qui deviendra plus tard le *Globe and Mail* (page 48).

George-Étienne Cartier était un leader canadien-français et un grand partisan de la Confédération. Il a joué un rôle important pour convaincre les francophones du Bas-Canada à se joindre à la nation. Avec sir John A. Macdonald, il a été co-premier ministre du Bas-Canada et du Haut-Canada de 1857 à 1862.

Alexander Galt représentait les anglophones du Bas-Canada. Brillant homme d'affaires, il était résolument favorable à la Confédération. Il souhaitait la construction d'un chemin de fer d'un bout à l'autre du pays, et il savait que la Confédération en faciliterait la réalisation.

Thomas D'Arcy McGee était reconnu comme le meilleur orateur de son époque. Il estimait qu'il faisait bon vivre au Canada, plus qu'aux États-Unis. Il a donc appuyé la Confédération pour éviter que les États-Unis ne prennent le contrôle des colonies. Il a été l'un des rares politiciens à être assassinés au Canada.

Samuel L. Tilley était un homme d'affaires avant de devenir politicien. Il estimait que la Confédération aiderait les colonies à prospérer. En tant que premier ministre du Nouveau-Brunswick, il souhaitait lui aussi qu'un chemin de fer relie les Maritimes aux autres colonies.

Charles Tupper a participé aux rencontres de la Confédération à titre de premier ministre de la Nouvelle-Écosse et était très favorable à l'union des colonies. En 1896, il est devenu premier ministre du Canada au mandat le plus court de l'histoire du pays. À sa mort, en 1915, il était le dernier survivant des 36 Pères de la Fédération.

PROFIL

Sir John A. Macdonald

Sir John A. Macdonald, du Haut-Canada, a été un éminent Père de la Fédération. Il a joué un rôle tellement important dans la Confédération qu'il a été le premier à être nommé premier ministre du Canada le 1er juillet 1867. Il a ajouté au pays trois autres provinces et un territoire, et a lancé la construction d'un chemin de fer transcontinental (page 14) pour couvrir le pays et relier les provinces.

« Quoi que vous fassiez, adhérez à l'union. Nous formons un grand pays, et nous deviendrons l'un des plus grands de l'univers si nous le préservons. »
— Sir John A. Macdonald

Depuis quand font-ils partie du Canada ?

1867	Nouveau-Brunswick, Nouvelle-Écosse, Ontario, Québec
1870	Manitoba, Territoires du Nord-Ouest
1871	Colombie-Britannique
1873	Île-du-Prince-Édouard
1898	Yukon
1905	Alberta, Saskatchewan
1949	Terre-Neuve (qui deviendra Terre-Neuve-et-Labrador)
1999	Nunavut

1868 ▪ L'armée se développe

Au début, le Canada ne dispose pas d'une armée bien entraînée. Le pays a plutôt une milice – des citoyens ordinaires qui se portent volontaires. Ceux-ci combattent aux côtés de vrais soldats, dits «réguliers», provenant de France ou de Grande-Bretagne. Dans les années 1850, lorsque les troupes britanniques stationnées au Canada quittent le pays pour prendre part à la guerre de Crimée, une milice canadienne permanente est mise sur pied.

En 1868, on adopte le Militia Act pour donner au nouveau pays un contrôle sur son armée. On fait également passer le nombre de miliciens actifs à 40 000 volontaires et on crée une milice de réserve, formée d'hommes de 18 à 60 ans, à qui on pouvait faire appel au besoin.

À la fin du 19e siècle, le Canada établit des régiments de soldats professionnels. Leur tâche principale consiste à entraîner les unités de milice, mais ils combattent également aux côtés des volontaires de la milice pendant la Rébellion de la rivière Rouge (pages 18-19) et la guerre des Boers, en Afrique du Sud (pages 26-27).

Jusqu'à la Seconde Guerre mondiale, la milice désigne à la fois les forces occasionnelles et les forces régulières. Au cours des années 1950, la milice devient la Force de réserve. Aujourd'hui, ce groupe à temps partiel appuie toujours les unités des Forces armées canadiennes, formées le 1er février 1968 par l'unification de l'Armée canadienne, de la Marine royale canadienne et de l'Aviation royale canadienne.

1869 ▪ Des photos imprimées

Jusqu'à la publication d'une photographie du prince Arthur dans le *Canadian Illustrated News* du 30 octobre 1869, les livres, magazines et journaux accompagnaient leurs articles d'illustrations. William Leggo, graveur, et l'éditeur montréalais qui l'emploie, Georges-Édouard Desbarats, réussissent à décomposer une photo en minuscules petits points qui, quand on les imprime, trompent l'œil qui croit alors voir une image complète. Le *Canadian Illustrated News* devient ainsi le premier journal à publier systématiquement des photographies de cette qualité, pas seulement au Canada, mais dans le monde entier!

1870 ▪ Les raids des fenians

Dans les années 1860 et 1870, les Canadiens sont menacés par les raids des fenians. Les fenians sont des Américains d'origine irlandaise qui veulent mettre fin au contrôle britannique de l'Irlande. En prenant le Canada en otage, ils espèrent convaincre la Grande-Bretagne d'accorder son indépendance à l'Irlande.

En avril 1866, les fenians attaquent le Nouveau-Brunswick, puis l'Ontario deux mois plus tard, et le Québec en 1870. Ils planifient une invasion du Manitoba en 1871, mais ils sont arrêtés à la frontière américaine.

Si les fenians n'ont jamais représenté une menace importante, ils ont fait peur aux gens. Les premiers raids comptent parmi les événements qui ont convaincu les Canadiens qu'ils devaient s'unir pour former un pays en 1867.

1871 ▪ L'immigration irlandaise

À partir de la fin des années 1840, un grand nombre de personnes quittent l'Irlande pour venir s'installer au Canada. Beaucoup tentent d'échapper à la famine dans leur pays, causée par la maladie de la pomme de terre. Selon le premier recensement du Dominion du Canada réalisé en 1871, près du quart de la population du pays est d'origine irlandaise. Il s'agit du groupe ethnique le plus important au Canada anglais.

Les immigrants irlandais constituent aussi le groupe ethnique le plus important dans la plupart des villes canadiennes. Ils joueront un rôle particulièrement important dans la construction du canal Rideau, en Ontario, et du canal Lachine, au Québec.

Angus McKay

En 1871, Angus McKay devient le premier Autochtone élu au gouvernement du Canada. Angus est député (un politicien élu par le peuple à la Chambre des communes) de Marquette, au Manitoba, au nord-ouest de Winnipeg. Il est métis, c'est-à-dire qu'il a des origines à la fois européennes et des Premières Nations. Il s'oppose toutefois aux positions du chef métis Louis Riel (pages 18-19). Avant de devenir député, Angus a été élu à la première Assemblée législative du Manitoba en 1870, et il sera élu de nouveau à un gouvernement provincial en 1874.

1872 ▪ Les petits immigrés anglais

De 1869 aux années 1930, environ 100000 enfants sont emmenés de la Grande-Bretagne au Canada. Certains proviennent d'orphelinats. D'autres ont des parents qui ne peuvent plus subvenir aux besoins de leur famille. Dès 1872, grâce au Dr Thomas John Barnardo, un missionnaire qui se consacre à aider les enfants sans abri, près de 30000 orphelins quittent la Grande-Bretagne pour venir au Canada.

Au Canada, ces enfants doivent travailler dans des foyers ou dans des fermes, surtout dans de petites villes et en régions rurales. Ils sont censés recevoir une allocation, être vêtus et nourris, et avoir la chance d'aller à l'école. Nombre d'entre eux connaissent plutôt une vie difficile. Certains frères et sœurs sont séparés, alors que d'autres petits immigrés sont traités comme des esclaves et même battus.

Aujourd'hui, plus de 1 Canadien sur 10 possède un lien de parenté avec ces enfants. En Ontario, le Jour des petits immigrés britanniques est célébré chaque année le 28 septembre. Pour souligner leur contribution à leur pays d'adoption, le Canada a proclamé l'année 2010 «Année des petits immigrés britanniques».

1873 ▪ La Police à cheval du Nord-Ouest

Au début des années 1870, les Prairies sont en train de devenir anarchiques et dangereuses. En 1873, le gouvernement canadien crée donc une force de police centrale, la Police à cheval du Nord-Ouest. En 1920, cette force sera nommée la Gendarmerie royale du Canada (GRC). En 1974, les femmes auront le droit de se joindre à la GRC, qui est encore aujourd'hui la force de police nationale du Canada.

1874 ▪ Bell découvre le téléphone

Les sons et le langage ont toujours été présents à l'esprit d'Alexander Graham Bell. Sa mère était sourde et son père était un professeur de diction qui enseignait aux gens à parler clairement. En 1870, quand ses deux frères meurent à la suite d'une maladie pulmonaire, ses parents décident de quitter l'Écosse pour s'installer là où l'air est pur : au Canada. En 1871, Aleck (c'est ainsi que le surnomment ses amis et sa famille) commence à enseigner dans une école pour les personnes sourdes à Boston, au Massachusetts. Il est un professeur patient et créatif.

Le soir, Aleck fait des expériences avec les sons. Il souhaite améliorer le télégraphe, un instrument qui envoie et reçoit des impulsions électriques sur des fils. En 1874, en visite chez ses parents à Brantford, en Ontario, il réalise une percée. Il découvre qu'en apportant quelques changements au télégraphe il peut détecter tous les sons de la voix humaine. Les sons font bouger de minces disques métalliques, et ces disques peuvent modifier les courants électriques : les voix peuvent donc être transmises et captées sur des fils électriques.

Toutefois, Aleck prend conscience que savoir faire quelque chose et le réaliser concrètement sont deux choses

bien distinctes. Presque deux ans plus tard à Boston, le 10 mars 1876, Aleck se trouve dans une pièce et bricole un transmetteur. Pendant ce temps, Thomas Watson, son assistant, est dans une autre pièce, muni d'un récepteur relié au transmetteur par un fil.

Lorsqu'il renverse accidentellement de l'acide, Aleck crie dans son transmetteur : «Venez, monsieur Watson. J'ai besoin de vous !»

Thomas se précipite dans la pièce – il vient d'entendre la voix d'Aleck dans le récepteur. Le téléphone est né. Quelques mois plus tard, Aleck découvre également comment envoyer des messages téléphoniques sur de grandes distances, entre Brantford et Paris, en Ontario.

Aleck réalise de nombreuses autres inventions, depuis les détecteurs d'icebergs jusqu'aux avions qui battent des records de vol (page 31). Certains des avions utilisés pendant la Première Guerre mondiale sont conçus à partir de ses modèles. Mais Aleck dit souvent qu'il préfère être reconnu comme celui qui a aidé les personnes sourdes à communiquer.

> «Un inventeur ne peut s'empêcher d'inventer, pas plus qu'il ne peut s'empêcher de penser ou de respirer.»
> — Alexander Graham Bell

PROFIL

Henry Woodward

Au milieu du 19e siècle, partout dans le monde, des inventeurs travaillent à créer une ampoule qui brûlerait assez longtemps pour être utile. Parmi ces inventeurs, on compte Henry Woodward, un étudiant en médecine de Toronto, et Matthew Evans, propriétaire d'un hôtel.

Henry et Matthew réussissent et, en 1874, ils obtiennent un brevet (le droit d'utiliser ou de vendre une invention) pour leur création. Malheureusement, ils n'ont pas les moyens de fabriquer leur trouvaille. Ils vendent leur brevet à un Américain, Thomas Edison, qui deviendra célèbre pour sa propre invention de l'ampoule électrique.

1875 ▪ Le hockey intérieur

La première partie organisée de hockey intérieur est disputée le 3 mars 1875 à Montréal, après qu'un groupe d'étudiants de l'Université McGill aient défini une liste de règles.

Cette première partie jouée à l'intérieur apporte certaines innovations importantes pour le sport. En déplaçant le jeu dans une salle, le nombre de joueurs est désormais limité à neuf par équipe. Jusque-là, c'est la taille de la patinoire extérieure qui déterminait le nombre de

joueurs pouvant évoluer sur la glace. Les joueurs utilisent aussi pour la première fois une rondelle ; ce disque plat en bois est plus facile à contrôler que la balle de crosse utilisée auparavant.

En 1877, James G. A. Creighton, l'un des capitaines lors de cette première partie à l'intérieur, publie le premier règlement officiel, et le Club de hockey de l'Université McGill devient la première équipe de hockey organisée.

1876 ▪ La Loi sur les Indiens

À la fin du 19e siècle, le fossé s'élargit entre les peuples autochtones et les colons européens. Le gouvernement du Canada intervient et, en 1876, il présente la Loi sur les Indiens. Elle a pour objectif d'assimiler les peuples autochtones, de faire en sorte qu'ils abandonnent leurs traditions et s'intègrent à la population non autochtone.

Au fil des ans, la Loi sur les Indiens sera modifiée 42 fois. Par exemple, lorsque des Autochtones se mettent à amasser de l'argent pour embaucher des avocats afin de défendre leurs revendications sur les terres, la Loi sur les Indiens est modifiée. Dorénavant, ils doivent obtenir la permission du gouvernement pour retenir les services d'un avocat.

Les Autochtones qui refusent de renoncer à leur statut sont privés de certains droits, comme le droit à une éducation secondaire, le droit de vote, le droit d'acheter des terres ou de faire partie d'un jury. La loi va aussi loin que de refuser aux peuples autochtones le droit d'utiliser des barrages de pêche, de posséder un bateau à moteur et de vendre du poisson.

Plutôt que d'assimiler les peuples autochtones, la loi a fait du Canada un système à deux vitesses basé sur la race. Les Autochtones qui refusent d'abandonner leur statut d'« Indiens » deviennent des pupilles du gouvernement, avec peu de droits, alors que les autres Canadiens jouissent de leurs pleins droits comme citoyens.

La Loi sur les Indiens est toujours en vigueur aujourd'hui, bien que son sort demeure incertain. La plupart des Autochtones s'entendent pour dire que cette loi n'a pas servi les intérêts de leurs peuples. Toutefois, si certains luttent pour obtenir l'autonomie gouvernementale, d'autres considèrent que le gouvernement canadien a toujours un rôle dans les affaires autochtones. Il existe de nombreux points de vue différents sur la meilleure voie vers l'avenir.

1877 ▪ Le Traité numéro 7

De 1871 à 1921, les peuples autochtones des Prairies signent 11 traités (des ententes formelles) avec le gouvernement britannique. Le Traité numéro 7, signé en 1877, est l'un des plus célèbres, car il concerne l'une des plus vastes étendues de terres.

En échange de terres au sud de l'Alberta (qui ne fait pas encore partie du Canada), le gouvernement canadien promet aux peuples autochtones des sommes d'argent et un endroit pour vivre. Pied-de-corbeau, le chef des Siksikas (une Première Nation), sait que rien ne pourra arrêter la progression des colons européens. Lui et les autres chefs signent le traité.

Le gouvernement canadien n'a pas respecté les dispositions du traité. Le Traité numéro 7 fait toujours l'objet de discussions entre les peuples autochtones et le gouvernement.

1878 ▪ Des femmes pratiquent la médecine

Comme d'autres femmes qui tentent d'étudier la médecine au Canada il y a plus de 150 ans, Emily Jennings Stowe se heurte à des portes closes dans les universités canadiennes. Elle est assez intelligente, cela ne fait aucun doute. En effet, elle est devenue en 1852 la première femme directrice d'école. Emily se rend donc aux États-Unis et obtient son diplôme de médecin en 1867. Cela ne lui donne toujours pas le droit de pratiquer la médecine légalement lorsqu'elle rentre au pays. Elle ouvre quand même un cabinet à Toronto et devient la première femme à pratiquer la médecine au Canada.

en 1880.) Pour faciliter aux autres femmes l'accès à la profession médicale, Emily crée le Woman's Medical College en 1883. La fille d'Emily, Augusta Stowe-Gullen, est tellement inspirée par sa mère qu'elle obtient son diplôme de l'École de médecine de Toronto en 1883, devenant ainsi la première femme à suivre toute sa formation médicale au Canada.

En 1870, l'École de médecine de Toronto autorise avec réticence l'admission d'Emily et d'une autre femme, Jennie Trout, pour leur permettre de terminer leurs études. Les professeurs et les autres étudiants, tous des hommes, rendent la vie difficile aux deux femmes. Emily finit par quitter l'établissement. Jennie persévère et devient, en 1875, la première femme canadienne à obtenir un permis d'exercer la médecine.

En 1878, Emily et Jennie pratiquent toutes deux la médecine à Toronto. (Emily obtient finalement son permis d'exercer la médecine

PROFIL

Leonora Howard King

Son désir de devenir médecin conduit Leonora Howard King loin du Canada. Intelligente et déterminée, elle se rend aux États-Unis pour étudier la médecine, comme l'a fait Emily Jennings Stowe, et elle obtient son diplôme avec distinction en 1876. L'année suivante, elle part pour la Chine, à la recherche d'aventures et d'une occasion de diffuser le christianisme à titre de missionnaire. En Chine, Leonora soigne aussi bien la famille royale que les gens disposant de peu de ressources, souvent gratuitement. En reconnaissance pour son travail, elle accède à la dignité de mandarin (semblable à un chevalier). Elle est la première femme nord-américaine à recevoir un tel honneur exceptionnel de la Chine.

1879 ▪ La proposition de l'heure normale

Lors de la planification du premier chemin de fer transcontinental entre Montréal et l'océan Pacifique en 1871, Sandford Fleming en est l'ingénieur responsable. Avec son énergie, son intelligence et son désir d'unir le Canada, il est parfait pour le poste. (En 1863, il a été arpenteur principal du chemin de fer construit entre Québec et Saint John, au Nouveau-Brunswick.)

Mais quand le chemin de fer commence à traverser le Canada, des problèmes surviennent dans la gestion des horaires des trains. À cette époque, on se base sur le soleil pour déterminer l'heure. Il est midi lorsque le soleil se tient directement au-dessus de nos têtes. Midi dans une ville n'est donc pas nécessairement midi dans une autre ville. En fait, il y a alors 144 heures locales «officielles» en Amérique du Nord.

Ces heures locales différentes causent des accidents ferroviaires, et de nombreux passagers doivent se munir de plusieurs montres. En 1879, Sandford propose donc l'heure normale, un système qui divise le monde en seulement 24 fuseaux horaires.

L'idée est d'abord rejetée, mais Sandford persévère et continue à en faire la promotion. L'heure normale est finalement adoptée partout dans le monde le 1er janvier 1885. Les compagnies ferroviaires (et leurs passagers) en sont particulièrement reconnaissantes.

1880 ▪ *Ô Canada!*

Le 24 juin 1880, les foules se massent sur les plaines d'Abraham, à Québec, pour les célébrations de la Saint-Jean-Baptiste. Dans le cadre des festivités, trois fanfares se mettent à jouer un nouvel hymne composé pour l'occasion: *Ô Canada*. Les paroles sont du juge Adolphe-Basile Routhier, et la musique, de Calixa Lavallée.

La foule demeure silencieuse alors que retentissent les paroles de la grande chanson: «Ô Canada! Terre de nos aïeux, ton front est ceint de fleurons glorieux…» À la fin, la foule applaudit longuement et chaleureusement. L'*Ô Canada* connaît un grand succès… en français. Plusieurs traductions anglaises seront mises à l'essai. Finalement, la version anglaise de Robert Stanley Weir deviendra populaire en 1908. Mais il faudra attendre le 1er juillet 1980 pour que l'*Ô Canada* devienne officiellement l'hymne national du pays.

1881 ▪ Le chemin de fer du Canadien Pacifique

Le premier premier ministre du Canada, sir John A. Macdonald (page 7), rêve d'une nation forte qui s'étendrait de l'Atlantique au Pacifique. Pour convaincre la Colombie-Britannique de se joindre au jeune pays, il promet de construire un chemin de fer qui reliera la côte ouest au reste du Canada.

La compagnie Canadian Pacific Railway (CP) est créée en 1881, et on choisit un itinéraire pour le ruban d'acier qui traversera le pays. Les travaux commencent cette année-là; la première pointe de fer (un gros clou servant à fixer les rails) est enfoncée à Bonfield, en Ontario. Mais à la fin de la saison de construction, seuls 211 kilomètres de voie ferrée sont achevés.

L'ingénieur en chef est remplacé par William Cornelius Van Horne (page 15). Au dernier jour de la saison suivante, les employés de Cornelius ont installé 673 kilomètres de voies principales, ainsi que des lignes secondaires. La construction est également en cours à partir de l'ouest, mais l'installation de la voie ferrée à travers les montagnes de l'Alberta et de la Colombie-Britannique s'avère difficile. Le major Albert Bowman Rogers, expert-arpenteur, met deux saisons à trouver un passage permettant au chemin de fer de traverser les montagnes Selkirk. Ce passage est appelé «le col Rogers» en son honneur.

Environ 30 000 ouvriers, appelés des «terrassiers», travaillent à la construction du chemin de fer. Parmi ceux-ci, des Chinois (page 16) qu'on a fait venir au Canada pour ce travail. Ils bâtissent des ponts solides pour enjamber les rivières déchaînées et les profonds canyons de Colombie-Britannique.

Installer une voie ferrée à travers les montagnes coûte très cher et, en 1885, le CP n'a plus d'argent. Mais lorsque la Rébellion du Nord-Ouest (pages 18-19) éclate en Saskatchewan en mars 1885, on peut rapidement transporter les soldats de l'est du Canada aux régions de l'ouest en moins de 10 jours, grâce au chemin de fer qui est presque terminé. Cela montre la grande utilité du chemin de fer, et le CP reçoit un prêt du gouvernement pour achever la construction de la voie ferrée.

Le 7 novembre 1885, le chemin de fer est complété, six ans plus tôt que prévu. Ce matin-là, à Craigellachie, en Colombie-Britannique, le cofondateur du CP plante la dernière pointe de fer, signalant l'achèvement du chemin de fer du Canadien Pacifique. Une fois terminé, ce chemin de fer est le plus long du monde – environ 3 200 kilomètres – et il a été construit plus rapidement qu'on ne l'aurait cru possible.

Le CP a transformé le Canada. Des villes entières, comme Winnipeg et Moose Jaw, apparaissent le long de ses rails étincelants, alors qu'affluent de nouvelles entreprises, comme des hôtels et des fournisseurs agricoles. Le chemin de fer conduit des colons qui s'établissent dans les Prairies et unit le vaste pays, d'est en ouest.

PROFIL

William Cornelius Van Horne

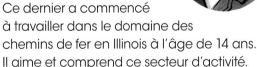

En 1881, il est clair que la construction du chemin de fer s'avère plus difficile que ce qu'on avait pensé. Le CP a besoin de quelqu'un qui s'y connaît vraiment. La compagnie embauche donc William Cornelius van Horne. Ce dernier a commencé à travailler dans le domaine des chemins de fer en Illinois à l'âge de 14 ans. Il aime et comprend ce secteur d'activité.

Cornelius divise le parcours à travers le pays en sections, avec des équipes qui commencent à différents endroits. Les travailleurs doivent traverser des gorges profondes, de dangereux marais, les hautes montagnes Rocheuses et d'autres terrains accidentés, mais, en 1885, tout est terminé. Cornelius devient président du CP en 1888 et travaille avec acharnement pour assurer le développement de l'entreprise. À sa mort, le CP immobilise tous ses trains pendant une journée complète.

1882 ▪ Les employés de chemin de fer d'origine chinoise

Pour réaliser la construction du chemin de fer du Canadien Pacifique (pages 14-15), la compagnie utilise des travailleurs provenant de Chine. De 1881 à 1884, environ 17 000 Chinois viennent au Canada. Plus de 8 000 de ces hommes arrivent en 1882.

Ces ouvriers chinois sont souvent victimes de discrimination. Ils sont moins rémunérés que les autres travailleurs – moins d'un dollar par jour – et doivent vivre dans des tentes froides et pleines de courants d'air, à l'écart des travailleurs d'origine européenne. Certains des autres travailleurs sont contrariés par leur présence, estimant que les Chinois «volent» leurs emplois.

Ces immigrants chinois ont laissé les membres de leur famille en Chine et souhaitent leur envoyer le plus d'argent possible. Pour en gagner encore plus, beaucoup de ces employés d'origine chinoise acceptent des tâches exigeantes et dangereuses, comme défricher et niveler le terrain pour la voie ferrée et allumer des explosifs pour creuser des tunnels dans le roc. Plus de 600 travailleurs chinois

sont morts dans la construction du chemin de fer. Les familles de certains n'ont jamais su ce qui leur était arrivé.

Lorsque les travailleurs chinois ne sont plus nécessaires à la construction du chemin de fer, le Canada décide de limiter l'immigration provenant de Chine. Le gouvernement impose une taxe d'entrée, un montant que seuls les immigrants chinois doivent payer pour venir au Canada. Les gens issus des autres pays n'ont pas à payer cette taxe. En 1885, la taxe d'entrée est de 50 $ par personne ; elle passe à 500 $ en 1903. La taxe est supprimée en 1923, mais d'autres lois qui stoppent pratiquement toute immigration en provenance de Chine demeurent en vigueur jusqu'en 1947. Ces restrictions sont finalement levées en 1967.

En 2006, le gouvernement présente ses excuses pour la façon dont les immigrants chinois ont été traités et verse une compensation aux survivants et à leurs familles.

1883 ▪ Le magasin de Timothy Eaton

Timothy Eaton a changé la façon dont les Canadiens font leurs achats. En 1869, il ouvre un magasin à Toronto, fondé sur trois promesses : prix fixes, argent comptant seulement, et satisfaction garantie ou argent remis.

Toute une différence ! Jusque-là, les clients et les propriétaires de magasins se disputent pour des dollars et des cents, alors qu'avec des « prix fixes » tout le monde connaît le coût des articles. « Argent comptant seulement » met un terme au troc pour obtenir des biens et fournit aux commerçants plus d'argent liquide pour payer leurs factures. Et « satisfaction garantie ou argent remis » permet à l'acheteur d'avoir l'esprit en paix : si les articles sont défectueux, le magasin promet de les reprendre.

En 1883, l'entreprise est florissante, et Timothy ouvre un magasin de trois étages sur la rue Yonge. Ce lieu de travail clair et aéré possède de nombreuses innovations modernes, dont des toilettes intérieures, un éclairage électrique et un ascenseur.

Mais Timothy veut vendre à encore plus de clients, y compris à des gens à l'extérieur de Toronto. Alors, en 1884, il met au point un système de vente par catalogue. On l'appelle « la bible des agriculteurs ». Les gens font leurs achats dans le catalogue d'Eaton… et l'utilisent aussi comme jambières de hockey, comme isolant et comme papier hygiénique !

1884 ▪ L'albertosaure

En 1884, un jeune géologue nommé Joseph B. Tyrrell trouve par hasard le crâne d'un énorme animal enterré sur les berges d'une rivière près de Drumheller, en Alberta. Il le déterre et l'envoie à Ottawa. Là, on l'identifie : il s'agit d'un nouveau type de dinosaure – on appellera par la suite l'« albertosaure » – qui aurait vécu il y a 70 millions d'années. On peut aujourd'hui voir des squelettes d'albertosaures au Royal Tyrrell Museum of Palaeontology, nommé en l'honneur de celui qui a découvert le dinosaure.

« J'ai passé la tête de l'autre côté d'un ressaut et voilà que mon regard tombe sur un crâne qui dépasse du sol et me dévisage. Ça m'a fait une de ces peurs ! »
— Joseph B. Tyrrell

LE CANADA SE DÉVELOPPE 1885-1899

À la fin du 19ᵉ siècle, le Canada continue de se développer. En 1885, la population a déjà augmenté de 25 % par rapport au moment de la formation du pays en 1867. Tant de gens participent à la ruée vers l'or du Klondike, dans le nord du Canada, qu'en 1898 on sépare les Territoires du Nord-Ouest pour former un autre territoire, le Yukon.

Cette année-là, les voitures sont de plus en plus répandues au Canada, même si la plupart des gens voyagent encore à cheval et en carriole. Dans les villes, de nombreuses habitations de la classe moyenne disposent d'une plomberie intérieure.

Le chemin de fer continue de prendre de l'expansion, et beaucoup de travailleurs se rendent dans l'ouest pour participer à sa construction. En Ontario, une nouvelle loi stipule que les enfants doivent aller à l'école. Cependant, certains enfants dont la famille est trop pauvre sont contraints de travailler à la ferme ou dans des usines plutôt que d'aller à l'école.

Avec l'expansion du pays, le conflit s'intensifie entre le gouvernement du Canada et les Métis du Manitoba et des régions plus à l'ouest. Cela finit par entraîner une rébellion.

1885 ▪ La Rébellion du Nord-Ouest

Après la Confédération, le premier ministre sir John A. Macdonald veut étendre le Canada de l'Atlantique au Pacifique. L'occasion se présente en 1869, quand la Compagnie de la Baie d'Hudson accepte de vendre son vaste territoire dans le nord et dans l'ouest. Mais personne ne discute de cette vente avec les personnes qui vivent sur ces terres. Lorsque les Métis de la région de la rivière

Rouge, à l'emplacement actuel de la ville de Winnipeg, en entendent parler, ils décident qu'ils doivent agir. Ils craignent de perdre leur culture, leur religion catholique et leurs terres.

Les Métis choisissent Louis Riel pour être leur chef, car il est très instruit, étant prêtre et homme de loi. Il conduit son peuple dans la Rébellion de la rivière Rouge (1869-1870), pendant laquelle les Métis

rédigent une «Liste de droits» qui protègent leurs terres et leurs traditions. Il est également très étroitement impliqué dans la création du Manitoba comme province en 1870, comprenant un territoire réservé aux Métis. Louis est élu à la Chambre des communes (la partie du Parlement composée de politiciens élus) à trois reprises de 1873 à 1874.

Louis est banni du Canada pendant cinq ans, de 1875 à 1880, en raison de sa participation à la Rébellion de la rivière Rouge. Pendant ces années, il fait une dépression et doit séjourner dans un hôpital psychiatrique. Il devient aussi obsédé par la religion. En juin 1884, Louis travaille comme enseignant au Montana quand un groupe de Métis de Saskatchewan lui demandent de revenir au Canada et de les aider à défendre leurs droits.

Les 18 et 19 mars 1885, Louis et les Métis établissent un gouvernement provisoire à Batoche, en Saskatchewan. Environ une semaine plus tard, un groupe de Métis et de gens des Premières Nations combattent dans la première de plusieurs batailles contre la Police à cheval du Nord-Ouest, dans le cadre de la Rébellion du Nord-Ouest.

Après un combat à Fort Pitt à la mi-avril, 5000 soldats du gouvernement sont dépêchés sur les lieux. Ils sont beaucoup plus nombreux que les combattants métis et des Premières Nations, et bien mieux équipés. Par exemple, pendant la bataille de Batoche, les Métis manquent de munitions. Ils délogent des balles ennemies des murs pour les réutiliser et tirent même des boutons, des clous et des pierres.

Louis est forcé de se rendre le 15 mai 1885, après avoir été défait dans la bataille de Batoche. La Rébellion du Nord-Ouest se termine moins de trois semaines plus tard. Louis est jugé en cour et condamné à la peine de mort. Son exécution est remise à trois reprises, mais il est finalement pendu à Regina, en Saskatchewan, le 6 novembre 1885.

Ces événements qui se produisent dans l'ouest, ainsi que la pendaison de Louis, provoqueront une division importante parmi les Canadiens. Aujourd'hui encore, les gens continuent de débattre à son sujet. Pour certains, il est un héros qui a défendu les Métis et contribué à intégrer le Manitoba au sein du Canada. Pour d'autres, il est un traître, car il a déclenché deux rébellions.

La Rébellion du Nord-Ouest, 1885

26 mars	Conduits par le maître chasseur Gabriel Dumont, les Métis battent la Police à cheval du Nord-Ouest à Duck Lake (près de Batoche).
30 mars	Affamés, des Autochtones attaquent Battleford.
2 avril	Des Autochtones battent la Police à cheval du Nord-Ouest à Frog Lake (au nord de ce qui est aujourd'hui Lloydminster).
15 avril	La Police à cheval du Nord-Ouest est battue par des membres des Premières Nations à Fort Pitt (près de la frontière de l'Alberta).
24 avril	Les Métis maintiennent leurs positions contre les troupes du gouvernement à Fish Creek (près de Batoche).
2 mai	Les Premières Nations remportent la victoire à Cut Knife Creek (près de Battleford).
9-15 mai	La bataille de Batoche entre les Métis et les soldats du gouvernement se solde par une défaite pour les Métis.
3 juin	Des combattants cris sont défaits par des soldats de la Police à cheval du Nord-Ouest à Loon Lake (près de Fort Pitt). Il s'agit de la dernière bataille de la rébellion, et la dernière bataille disputée au Canada.

1886 · Le premier train de passagers

À la fin de l'année 1885, les sections est et ouest du chemin de fer du Canadien Pacifique (pages 14-15) se rejoignent à Craigellachie, en Colombie-Britannique. Le Canada a finalement un chemin de fer qui relie ses provinces continentales.

Le 28 juin 1886, le premier train de passagers quitte Montréal et arrive le 4 juillet à Port Moody, en Colombie-Britannique (aujourd'hui une partie de Vancouver). Les 150 passagers mettent 5 jours et 19 heures pour faire le voyage, mais ils arrivent à l'heure.

Ce premier train comprend deux voitures de première classe pour les passagers fortunés, ainsi qu'une voiture de deuxième classe. Il y a aussi une voiture-lit, où les passagers qui font de longs trajets peuvent se reposer, ainsi qu'un wagon postal. La voiture-restaurant, où les passagers peuvent acheter des repas, est détachée du train le soir, et une autre est attachée le matin. Les passagers mangent dans de la vaisselle de porcelaine, avec des couverts en argent.

De plus, il y a une voiture de colons, le type le plus rudimentaire et le moins coûteux destiné à ces gens se rendant dans l'ouest. On y trouve des bancs de bois et des plateformes peu confortables, appelées des «couchettes», où les colons peuvent dormir – ils doivent apporter leurs propres couvertures. Seules les voitures de première classe sont dotées de toilettes; les autres passagers doivent donc attendre que le train s'arrête en gare!

Un tour de chasse-pierres

En juillet 1886, sir John A. Macdonald, premier ministre du Canada, et son épouse, Agnes, montent à bord de l'un des premiers trains à traverser le pays. Tout juste à l'ouest de Banff, en Alberta, lady Agnes décide de faire le reste du trajet jusqu'à la côte ouest sur le chasse-pierres du train. Ces barres de métal installées sur le devant du train dégagent les pierres et les autres objets qui pourraient se trouver sur les rails. «Tout cela est tellement merveilleux», a dit lady Agnes de sa promenade incroyable.

1887 ▪ Le premier parc national

Lorsque trois travailleurs du chemin de fer découvrent des sources chaudes sur le flanc d'une montagne en Alberta en 1883, le gouvernement fédéral décide que cette zone devrait être réservée et destinée à l'usage du public. Un parc, qu'on appelle aujourd'hui «le parc national de Banff», y est créé deux ans plus tard. En 1887, on adopte une loi pour en faire le premier parc national au Canada. Il existe aujourd'hui plus de 40 parcs nationaux au pays.

1888 ▪ Une tournée de soccer en Grande-Bretagne

En août 1888, un groupe de joueurs de soccer canadiens se rendent en Grande-Bretagne. Dans le cadre d'un épuisant calendrier de 23 parties en seulement 61 jours, ils affrontent les meilleures équipes d'Irlande, d'Écosse et d'Angleterre.

Les Canadiens finissent avec une fiche de neuf victoires, neuf défaites et cinq matchs nuls. Toutefois, quatre des neuf défaites surviennent au cours des quatre dernières parties, alors que les joueurs canadiens sont épuisés et blessés. Un magazine rapporte : «Ils ont défait certains grands clubs et surpris beaucoup de monde.»

En 1998, la Monnaie royale canadienne émet une pièce de 50 cents pour commémorer cette tournée. Aujourd'hui, le soccer compte parmi les sports qui gagnent le plus en popularité au Canada.

1889 ▪ Des femmes luttent pour obtenir le droit de vote

Au 19ᵉ siècle, les femmes n'ont pas le droit de vote. Même si elles paient des impôts, elles ne peuvent pas choisir les personnes qui décideront comment sera dépensé cet argent. Beaucoup de femmes canadiennes trouvent cela injuste.

Alors en 1889, Emily Jennings Stowe crée l'Association pour l'émancipation des femmes du Dominion (DWEA). (Les dominions sont des pays qui sont en lien avec la Grande-Bretagne ; émancipation est synonyme de libération.) Emily connaît déjà ce que veut dire lutter pour les droits des femmes, elle qui a dû se battre pour devenir la première femme à pratiquer la médecine au Canada (page 13).

C'est avec humour et persévérance que les femmes luttent pour leurs droits. En 1896, Emily et sa fille, Augusta Stowe-Gullen, mettent en scène un parlement fictif, où des femmes débattent la question de savoir si les *hommes* devraient obtenir le droit de vote. Elles répètent les arguments utilisés par les hommes pour empêcher les femmes de voter. Finalement, les «députées» décident de ne pas accorder le droit de vote aux hommes.

La DWEA encourage et inspire les femmes canadiennes, dont bon nombre obtiennent le droit de vote en 1918 (page 37), même si les femmes autochtones ne peuvent voter qu'à partir de 1960 (page 63).

1890 ▪ La question des écoles au Manitoba

Pour mettre fin à la Rébellion de la rivière Rouge de 1870 (pages 18-19), le gouvernement canadien adopte la Loi de 1870 sur le Manitoba, qui crée la province du Manitoba. De plus, elle affirme que le français et l'anglais ont la même importance dans la nouvelle province et que les lois provinciales doivent être publiées dans les deux langues.

La loi crée aussi deux systèmes scolaires au Manitoba : un pour les élèves protestants et un pour les élèves catholiques romains. À cette époque, presque tous les protestants du Manitoba sont anglophones, et presque tous les catholiques sont francophones. Les écoles protestantes proposent donc une éducation en anglais, et les écoles catholiques, une éducation en français.

Or, en 1890, de plus en plus de protestants anglophones s'installent au Manitoba. Le gouvernement manitobain décide de créer un système scolaire public. Comme la langue d'enseignement dans ces écoles est l'anglais, certains croient que le nouveau système est en fait réservé aux protestants. Certains parents veulent quand même que leurs enfants fréquentent des écoles catholiques. Comme ces dernières ne sont plus financées par le gouvernement, les parents doivent payer des frais de scolarité.

Les catholiques et les Canadiens français partout au pays considèrent cela comme une atteinte à leurs droits. La question des écoles du Manitoba devient un enjeu d'intérêt national pendant l'élection fédérale de 1896. Le Parti libéral remporte l'élection parce que son chef, Wilfrid Laurier, a affirmé qu'il serait en mesure de négocier un compromis satisfaisant pour les deux parties. Finalement, il est décidé que l'éducation en français et pour les catholiques sera offerte si un nombre suffisant de familles en font la demande.

La question des écoles au Manitoba constitue un débat sur la langue et la religion. Il s'agit aussi d'un affrontement sur les rôles des gouvernements fédéral et provinciaux. Ce sont là des questions importantes à la fin du 19e siècle… et elles le sont encore de nos jours.

1891 ▪ L'invention du basketball

Le Canadien James Naismith n'a que 14 jours pour inventer un jeu pour ses élèves de Springfield, au Massachusetts, lorsque ceux-ci ne peuvent faire de l'exercice à l'extérieur. Il essaie le soccer, le football et la crosse à l'intérieur, mais ces sports sont tous trop dangereux à pratiquer dans un espace restreint.

La nouvelle idée de James commence avec un gros ballon. Les joueurs ne peuvent pas courir avec le ballon, mais doivent se faire des passes. Le but est

tellement haut que les joueurs ne peuvent pas le bloquer avec leur corps. Tout comportement brutal entraîne une pénalité. Chaque équipe est composée de neuf joueurs, de façon à inclure tous les élèves de la classe.

Les élèves essaient le nouveau sport en décembre 1891. James cloue un panier (en anglais, *basket*) de pêches à chaque extrémité du gymnase. Chaque fois qu'un joueur lance le ballon dans le panier, il faut arrêter le jeu pendant que le concierge récupère le ballon. Malgré cela, les élèves adorent ce nouveau sport. Finalement, quelqu'un pense à découper le fond des paniers…

Au début, James n'a pas de nom pour désigner son sport. Certains de ses élèves suggèrent le « Naismith-ball », mais il préfère un autre nom : le basketball.

1892 ▪ Le père de la médecine moderne

William Osler a transformé l'enseignement de la médecine, non seulement au Canada, mais partout dans le monde. Jusqu'à la fin du 19ᵉ siècle, les étudiants en médecine passent la majeure partie de leur temps dans des salles de cours ou des laboratoires, et ils ne rencontrent que rarement des personnes malades. William est d'avis que les étudiants en médecine doivent apprendre des patients; il augmente donc le nombre d'heures de contact entre les étudiants et les patients.

William enseigne aussi au chevet de personnes malades, convaincu qu'il s'agit d'une manière efficace de former les étudiants. Il transmet à ceux-ci l'importance d'écouter attentivement le patient avant d'établir un diagnostic.

En plus d'être un excellent professeur, William est aussi un spécialiste du diagnostic des maladies du cœur, des poumons et du sang. Sociable et extraverti, il sait comment donner de l'espoir à ses patients. Il a un bon sens de l'humour et aime jouer des tours à ses amis.

En 1892, William écrit un manuel médical qui sera utilisé pendant plus de 40 ans. Il aide aussi à créer un système de formation des nouveaux médecins, qui est encore employé de nos jours. À la fin du 19ᵉ siècle, William est l'un des médecins les mieux connus du monde. Il sera plus tard désigné comme le père de la médecine moderne.

> « Nous sommes ici pour ajouter ce que nous pouvons à la vie, pas pour en tirer ce que nous pouvons. »
> — William Osler

1893 ▪ La coupe Stanley

Il s'agit du plus ancien trophée remis à des athlètes professionnels en Amérique du Nord. De nos jours, des millions d'amateurs de hockey regardent chaque année les éliminatoires de la Ligue nationale de hockey (LNH) pour savoir qui remportera la coupe Stanley.

Le prix porte le nom de lord Stanley, gouverneur général du Canada de 1888 à 1893. Sa famille et lui quittent l'Angleterre pour s'installer ici; rapidement, ils deviennent des amateurs de hockey. Les fils de lord Stanley convainquent leur père de faire don d'un bol d'argent à la meilleure équipe de hockey canadienne. La première coupe est remise en 1893 à l'Amateur Athletic Association de Montréal.

Plus tard, la coupe Stanley inspire le gouverneur général Earl Grey à faire don d'un trophée à la ligue de football du Canada. La coupe Grey est créée en 1909.

1894 ▪ Le Carnaval de Québec

Au début des années 1890, l'économie nord-américaine va mal. La ville de Québec est durement touchée, avec la fermeture de ses chantiers navals. Frank Carrel, propriétaire du *Quebec Daily Telegraph*, décide qu'un festival d'hiver serait profitable.

Le premier Carnaval de Québec a lieu en 1894. La mascotte du festival est Bonhomme Carnaval, un énorme bonhomme de neige, qui fait sa première apparition en 1955.

Aujourd'hui, plus de 600 000 personnes participent chaque année au plus grand carnaval d'hiver au monde. On peut y voir des défilés et des sculptures de glace, et pratiquer des sports comme le traîneau à chiens, le canot à glace et la planche à neige.

1895 ▪ Louis Cyr, un homme fort

En 1895, Louis Cyr soulève sur son dos une plateforme soutenant 18 hommes pesant en tout 1 967 kg. D'un seul doigt, l'homme fort du Québec peut soulever 272 kg !

Louis travaille comme bûcheron, puis comme policier, avant de devenir haltérophile. Les tours de force sont très populaires à son époque, et Louis participe à de nombreuses compétitions. Un jour, on attache un cheval à chacun de ses bras puissants ; les chevaux ont beau tirer dans des directions opposées, Louis est capable de les maintenir immobiles.

1896 ▪ L'or du Yukon

En août 1896, on découvre de l'or à Rabbit Creek, qu'on appellera plus tard Bonanza Creek, au Yukon, mais la ruée vers l'or ne commence véritablement qu'en 1897. Cette année-là, près de la rivière Klondike, des prospecteurs trouvent de grosses paillettes d'or qu'ils peuvent facilement extraire des roches.

Presque du jour au lendemain, des milliers de personnes se dirigent vers le nord, dans l'espoir de faire fortune. La plupart prennent le bateau jusqu'à Skagway, en Alaska, puis doivent entreprendre le périple à travers la chaîne Côtière pour atteindre les secteurs d'exploitation de l'or. Le col White et le col Chilkoot sont les itinéraires les plus populaires pour traverser les montagnes.

Les prospecteurs plantent leurs tentes à Dawson, près des terrains aurifères. Avec eux arrivent les propriétaires de saloons, les commerçants et des agents de la Police à cheval du Nord-Ouest. En 1898, le Yukon devient un territoire fédéral, avec Dawson pour capitale.

En 1899, il ne reste presque plus d'or facile à trouver. Dawson rapetisse aussi vite qu'elle s'était développée. En 1900, seules les compagnies disposant d'un équipement sophistiqué peuvent encore chercher de l'or.

1897 ▪ Le cinéma canadien

Le premier cinéaste canadien est un agriculteur du Manitoba, James Freer. En 1897, il tourne des scènes de trains et de la vie dans les Prairies pour son film *Ten Years in Manitoba*.

Le premier cinéma permanent au Canada ouvre ses portes en 1902. John Schuberg, magicien et comédien, loue un magasin à Vancouver et présente le film *Mt. Pelee in Eruption and Destruction of St. Pierre*. Il y est question de l'éruption d'un volcan sur l'île de la Martinique, dans les Caraïbes.

Aujourd'hui, des cinéastes canadiens comme Denys Arcand, David Cronenberg, Xavier Dolan, Atom Egoyan (page 91) et Sarah Polley (page 93) continuent de donner vie à des histoires sur le Canada pour des cinéphiles de partout dans le monde.

1898 ▪ Le WP&YR

Lorsque commence la ruée vers l'or du Klondike en 1896 (page 24), des milliers de personnes affluent au Yukon. Les gens d'affaires comprennent rapidement que les mineurs seraient prêts à payer pour se rendre à Whitehorse, désormais la capitale du Yukon. La construction du White Pass and Yukon Route (WP&YR) débute en mai 1898.

Quand la construction du WP&YR se termine en juillet 1900, la ruée vers l'or est terminée. Le WP&YR transporte donc le minerai des mines du Klondike à Skagway, en Alaska. Au cours de la Seconde Guerre mondiale, la ligne permet d'acheminer les matériaux servant à construire la route de l'Alaska. La voie ferroviaire est arrêtée en 1982 avec la fermeture des mines. En 1988, le WP&YR est rouvert et sert désormais au transport des touristes.

1899 ▪ Des femmes pratiquent le droit

Clara Brett Martin devient la première femme avocate non seulement au Canada, mais dans l'ensemble de l'Empire britannique. Elle réussit en 1897, uniquement après avoir contesté et modifié les lois qui empêchaient les femmes d'étudier le droit. En 1899, elle ouvre son premier cabinet. Malgré sa brillante carrière d'avocate, Clara se rend rarement au tribunal, car sa présence cause beaucoup d'émoi.

Même si les femmes peuvent devenir avocates à partir de 1897, ce n'est qu'en 1976 qu'une femme autochtone, Roberta Jamieson, devient avocate au Canada. Dirigeante mohawk dynamique et chef de la plus grande réserve au Canada, elle s'efforce d'améliorer les relations entre le gouvernement et les peuples autochtones.

UN NOUVEAU SIÈCLE 1900-1913

Au moment où le pays fait son entrée dans le 20e siècle, les Canadiens sont remplis d'espoir. Plus de cinq millions de personnes vivent sur le territoire, et en 1914, trois millions de plus se sont installés dans les Prairies. Dans le nord, on extrait de l'or et d'autres minéraux.

La plupart des Canadiens ne vivent pas dans les villes, mais dans des fermes. Nombre d'entre eux n'ont pas l'eau courante, ni l'électricité, ni de toilettes intérieures. Les femmes qui ont un emploi hors du foyer ou de la ferme travaillent principalement comme domestiques, cuisinières et femmes de ménage.

Depuis la fin du 19e siècle, les enfants partout au Canada doivent aller à l'école. Comme de plus en plus de Canadiens savent maintenant lire, les journaux constituent le moyen le plus populaire pour les informer – la radio et la télévision n'existent pas encore.

Le premier ministre sir Wilfrid Laurier déclare: «Je pense que nous pouvons affirmer que c'est le Canada qui envahira le 20e siècle.» La plupart des Canadiens s'entendent pour dire que le nouveau siècle sera formidable pour leur pays.

1900 ▪ La bataille de Paardeberg

À la fin du 19e siècle, le Canada est en paix pour la première fois depuis de nombreuses années. Mais des guerres font rage ailleurs dans le monde. Quand, en 1899, la Grande-Bretagne prend part à une guerre pour les droits d'un groupe de colons (appelés «les Boers») dans la lointaine Afrique du Sud, l'aide du Canada est sollicitée.

Environ 8 000 Canadiens se portent volontaires pour la guerre en Afrique du Sud, et la Grande-Bretagne accepte de payer leur salaire. Certains de ces soldats remplacent des soldats britanniques stationnés à Halifax, pour leur permettre de participer à la guerre à l'étranger. D'autres vont se battre en Afrique du Sud.

Les volontaires canadiens arrivent au Cap, en Afrique du Sud, à la fin de novembre 1899. Ils ont deux mois de formation, où ils apprennent de nouvelles techniques pour repousser les attaques-surprises. Cette habileté s'avérera utile dans la lutte à venir contre les Boers.

En février 1900, à la bataille de Paardeberg, c'est la première fois qu'un nombre important de soldats canadiens combattent à l'étranger. La bataille dure neuf jours, et c'est la plus grande et la plus sanglante de toute la guerre.

Vers la fin de la bataille, les Canadiens essaient de surprendre les Boers en attaquant avant l'aube. Mais, rapidement, les assaillants subissent le feu nourri des 4 000 Boers. Les soldats canadiens reçoivent l'ordre de battre en retraite, mais les 2 compagnies des Maritimes, chacune composée d'environ 125 hommes, continuent de tirer.

Épuisés, les Boers finissent par se rendre. Les Canadiens remportent la bataille. L'un des commandants britanniques fait remarquer: «*Canadien* est désormais synonyme de bravoure, d'élan et de courage.»

1901 ▪ Les infirmières de guerre

Au déclenchement de la guerre d'Afrique du Sud en 1899, quatre infirmières se joignent aux premiers soldats qui se rendent à l'étranger. En 1901, il devient évident qu'il faut plus d'infirmières. Cette année-là, on crée le Service infirmier canadien, et d'autres infirmières sont envoyées en renfort.

Georgina Pope se porte volontaire pour prendre part à la guerre d'Afrique du Sud. Elle est l'une des premières infirmières militaires à aller à l'étranger. Les conditions de vie y sont horribles. Malgré les épidémies et les pénuries de nourriture et de fournitures médicales, Georgina et le groupe d'infirmières qu'elle dirige sauvent de nombreuses vies. En 1903, elle est la première Canadienne à recevoir la médaille de la Croix-Rouge royale.

Bientôt, Georgina devient chef du Service infirmier du Corps médical de l'armée canadienne. Elle forme des infirmières pour la Première Guerre mondiale et sert en France pendant cette guerre. Grâce à elle, les gens commencent à considérer les infirmières comme des professionnelles qualifiées.

1902 ▪ La fin de la guerre d'Afrique du Sud

Des soldats canadiens combattent en Afrique du Sud pendant plus de deux ans. Les journaux canadiens rapportent des nouvelles des batailles de Zand River, Mafeking, Lydenburg et Harts River. À Leliefontein, 90 Canadiens sont chargés de protéger les soldats britanniques qui battent en retraite. Ils réussissent à retenir plusieurs centaines de Boers.

En mai 1902, la Grande-Bretagne et ses contingents remportent la guerre d'Afrique du Sud. Bilan : 224 Canadiens sont morts et 252 sont blessés. Quatre Canadiens reçoivent la Croix de Victoria, la plus haute distinction militaire britannique. Ces soldats ont combattu malgré leurs blessures ou même s'ils étaient beaucoup moins nombreux que l'ennemi.

Un autre soldat canadien est proposé à deux reprises pour la Croix de Victoria, sans jamais l'obtenir. Il reçoit plutôt une écharpe tricotée par la reine Victoria elle-même, ce qui constitue un grand honneur.

PROFIL

Sam Steele

Sam Steele est l'un des premiers officiers de la Police à cheval du Nord-Ouest. Après avoir contrôlé la ruée vers l'or du Klondike (page 24), il participe à la guerre d'Afrique du Sud.

Sam dirige le Lord Strathcona's Horse, un régiment de 600 soldats à cheval créé et financé par le riche homme d'affaires Donald Smith. Leur tâche principale consiste à agir en éclaireurs pour donner des informations sur les positions ennemies, et ils sont très efficaces. Mais Sam n'aime pas certaines autres missions du régiment, comme incendier des villes et conduire des gens dans des camps de concentration.

Sir Sam Steele est fait chevalier en 1918, un an seulement avant sa mort. Le Lord Strathcona's Horse est encore l'une des plus célèbres unités de l'armée du Canada.

1903 ▪ La théorie de Harriet Brooks Pitcher

Il était peu probable que Harriet Brooks étudie les sciences à l'université. Non seulement vit-elle à une époque où il est difficile pour les femmes de poursuivre leurs études, mais elle vient d'une famille qui a peu de moyens. Harriet est toutefois une bonne élève et elle obtient des bourses. En 1894, elle entreprend des études à l'Université McGill, à Montréal.

Harriet obtient son diplôme en 1898. Un an plus tard, elle entreprend des recherches sur la radioactivité, une nouvelle discipline scientifique. Elle étudie les éléments radioactifs et démontre qu'un élément peut se transformer en un autre élément, ce que les scientifiques croyaient impossible. Tout en poursuivant ces recherches, elle contribue à identifier le radon, un gaz rare radioactif. En 1903, Harriet découvre que, lorsqu'un atome radioactif rejette une particule, il rebondit, ou subit un mouvement de recul. C'est ce qu'on appelle la «théorie du recul» des atomes, théorie encore importante de nos jours. De 1906 à 1907, Harriet travaille avec Marie Curie, qui est alors la seule femme physicienne plus célèbre qu'elle. En 1907, Harriet épouse Frank Pitcher et, comme pour de nombreuses femmes de l'époque, le mariage met fin à son travail scientifique. Elle a toutefois accompli pendant sa courte carrière plus de choses que de nombreux scientifiques pendant toute une vie.

1904 ▪ La première équipe olympique

Les athlètes canadiens qui participent aux Jeux olympiques de 1904 forment en fait la première équipe canadienne officielle envoyée aux Jeux. Les Olympiques se tiennent à Saint-Louis, au Missouri, et s'échelonnent sur plus de quatre mois.

Dans la Grèce antique, les Jeux olympiques sont tenus de 776 à 393 av. J.-C. On les relance en 1896, mais aucun Canadien n'a participé à ces Jeux. À Paris en 1900, les athlètes ont pris part aux compétitions sur une base individuelle, sans faire partie d'une équipe nationale.

Aux Jeux de 1904, le Canada remporte quatre médailles d'or : golf, soccer, crosse et athlétisme. George Lyon obtient sa médaille d'or au golf après avoir affronté 76 autres joueurs… tous des Américains !

Étienne Desmarteau, un policier de Montréal, remporte lui aussi une médaille d'or pour le Canada. Il perd son emploi en s'absentant pour participer

aux Jeux. Mais après avoir obtenu la première place au lancer du poids de 25 kilos, une épreuve d'athlétisme, Étienne est accueilli en héros en rentrant au pays… et retrouve son poste !

La délégation du Canada revient également avec la médaille d'argent en aviron et la médaille de bronze à la crosse (cette année-là, le pays a deux équipes de crosse qui prennent part à la compétition !).

LE SAVAIS-TU ?

Avant les Olympiques de 1904, on décernait une médaille d'argent pour la première place et une médaille de bronze pour la deuxième. Ceux qui arrivaient troisièmes ne recevaient rien.

1905 ▪ La colonisation des Prairies

Sir Wilfrid Laurier est devenu premier ministre en 1896. Espérant remplir de colons l'ouest du pays, son gouvernement fait de la publicité partout en Europe, promettant de bonnes terres agricoles et de grandes possibilités. Les gens affluent, venant d'Ukraine, de Pologne, d'Allemagne, de Norvège et de bien d'autres pays.

Certains éprouvent un choc terrible en voyant l'endroit où ils vivront. Il ne s'agit souvent que d'une étendue de terrain plat, que d'herbe à perte de vue. La première habitation d'un colon est habituellement une cabane peu solide ou une maison de tourbe. Mais bientôt apparaissent des fermes et des ranchs, et des villes surgissent pour assurer leur approvisionnement.

De 1900 à 1914, près de trois millions de personnes affluent dans les Prairies. En 1905, l'immigration va bon train. Les provinces de l'Alberta et de la Saskatchewan sont créées cette année-là. Bientôt, on y établit un réseau de chemin de fer pour transporter le blé et les autres produits vers des marchés lointains. On cultive tant de blé au Canada que le pays est surnommé «le grenier du monde».

Deux réalisations canadiennes favorisent le boum du blé : de nouveaux types de machinerie agricole et une nouvelle variété de blé. La majeure partie de la machinerie est fabriquée par Massey-Harris, la plus grande compagnie de matériel agricole de l'Empire britannique. La nouvelle variété de blé est dénommée «Marquis» et a été créée par Charles Saunders. Elle pousse bien dans les Prairies, car elle mûrit plus rapidement que toute autre variété.

1906 ▪ Une diffusion radio sans fil

Lorsque les ondes radio sont utilisées pour la première fois par Guglielmo Marconi pour transmettre le son, on peut seulement entendre les clics du code Morse. Reginald Fessenden, un Québécois d'origine, est celui qui a peaufiné la radio pour réussir à diffuser des voix. Il réussit la première diffusion radio sans fil le 24 décembre 1906, à partir de sa base près de Boston. Reginald chante des cantiques de Noël et joue du violon, et cette musique est entendue jusqu'aux navires marchands le long de la côte Atlantique.

PROFIL

Guglielmo Marconi

Comme le télégraphe, les premiers téléphones ont besoin de fils. On peut imaginer l'enthousiasme lorsqu'en 1895 un jeune inventeur italien appelé Guglielmo Marconi réussit à envoyer des messages sans fil! Il se sert des ondes radio pour transmettre des messages en code Morse. Le 12 décembre 1901, dans un célèbre test de cette technologie, Guglielmo envoie et reçoit les premiers messages transatlantiques en code Morse, de l'Angleterre à Signal Hill, à Saint-Jean, Terre-Neuve.

1907 ▪ Des voitures fabriquées au Canada

Avant l'invention de l'automobile, les gens au Canada se déplacent en carrioles et en traîneaux tirés par des chevaux. Robert Samuel McLaughlin connaît bien ces véhicules, lui qui en imagine plus de 140 modèles alors qu'il travaille à l'usine de son père.

Sam fait son premier tour à bord d'une automobile en 1904. Le véhicule n'a ni portes, ni toit, ni fenêtres. Quand il pleut, les passagers se font tremper ! Le propriétaire de la voiture demande à Sam de concevoir quelque chose pour protéger les passagers des intempéries. Sam fabrique un toit pour la voiture. Pour le remercier, le propriétaire le laisse conduire le véhicule. Sam a toujours été fasciné par les déplacements et la vitesse. Il devient vite un passionné de voitures.

En 1907, à Oshawa, en Ontario, Sam lance la McLaughlin Motor Car Company, dont il est le président. Il s'agit du premier constructeur automobile d'importance au Canada, qui crée la première voiture assemblée au pays. Sam vend sa compagnie à General Motors en 1918, mais il en demeure le président.

Devenu un homme riche, Sam estime important de partager ses biens. Il s'intéresse particulièrement à la santé des Canadiens et il appuie la recherche médicale. Il apporte aussi son soutien financier aux arts, à l'éducation et aux groupes communautaires.

1908 ▪ *Anne... la maison aux pignons verts*

Anne... la maison aux pignons verts, Émilie de la Nouvelle Lune, Pat de Silver Bush... Ce ne sont là que quelques-uns des merveilleux livres pour enfants que l'on doit à la plume de Lucy Maud Montgomery. Au cours de sa vie, cette auteure écrit 24 livres, 530 nouvelles et plus de 500 poèmes. Ce faisant, elle présente au reste du Canada et au monde entier l'île du Prince-Édouard qu'elle aime tant.

Maud – elle déteste se faire appeler Lucy – est enseignante, mais elle consacre son temps libre à écrire des nouvelles et des poèmes. Elle finit par gagner sa vie grâce à ces écrits, mais elle rêve d'écrire un livre. Cela lui semble un rêve impossible, jusqu'au jour où elle a une idée de personnage formidable : une orpheline rousse prénommée Anne. Maud met des mois à écrire l'histoire d'Anne, qu'elle compose entre ses autres tâches et rédactions.

Maud est fière d'envoyer son manuscrit à un éditeur, mais son texte lui est vite retourné : c'est un refus. Cela se produit à quatre reprises ! Grandement découragée, Maud met son récit de côté pendant quelques mois. Puis elle décide de faire un dernier essai. Finalement, le manuscrit est accepté. Le 20 juin 1908, Maud reçoit le paquet contenant son premier livre : *Anne... la maison aux pignons verts.*

De nos jours, les ouvrages de Maud sont lus partout dans le monde. *Anne... la maison aux pignons verts* a été publié dans plus de 20 langues, et des dizaines de millions d'exemplaires ont été vendus.

> « J'ai cru en moi et je me suis battue seule, dans le secret et en silence. Je n'ai jamais confié mes ambitions, mes efforts, ni mes échecs à quiconque. »
>
> — *Lucy Maud Montgomery*

1909 ▪ Des avions s'envolent!

En 1876, Alexander Graham Bell devient célèbre dans le monde entier grâce à son invention du téléphone (page 11). Mais lorsqu'il était enfant, il rêvait de voler comme un oiseau. Alors, en 1891, Aleck, comme on l'appelait, commence à réaliser des expériences de vol.

Pour ses premiers essais, il utilise des cerfs-volants assez grands pour transporter une personne. La plupart des expériences sont réalisées chez Aleck à Baddeck, en Nouvelle-Écosse.

Aleck est déçu lorsque les frères Wright deviennent les premiers à voler en 1903. Il poursuit toutefois ses travaux sur sa propre conception d'une machine volante, qu'il appelle «un aérodrome». Sa femme, Mabel, lui fournit l'argent nécessaire pour embaucher quatre jeunes hommes qui l'aident dans son projet. Ensemble, ils constituent l'Aerial Experiment Association (AEA).

Les hommes testent divers concepts. Ils passent rapidement des cerfs-volants aux planeurs, soit des avions qui n'ont pas de moteurs, mais qui se servent de la puissance du vent pour voler. Puis l'AEA commence à construire des biplans, c'est-à-dire des avions avec deux ensembles d'ailes. Pour faciliter le contrôle de l'appareil, ils ajoutent des volets réglables, appelés des «ailerons», sur les ailes. De nos jours, les avions sont encore munis de ce système de charnières.

Le 23 février 1909, l'AEA teste son avion le plus réussi. L'appareil fonce dans les airs comme une flèche (en anglais, *dart*) et possède un revêtement imperméable argenté (en anglais, *silver*) sur les ailes. On l'appelle donc le *Silver Dart*. Il s'agit du premier vol en avion au Canada et dans l'Empire britannique.

Tom Longboat

Des sprints finaux spectaculaires ont fait de Thomas Longboat l'un des plus grands coureurs du monde. Il est capable de démontrer un sursaut d'énergie à la fin d'une longue course, alors que ses compétiteurs peinent pour rester debout. En 1909, il remporte le Championnat du monde de marathon, devant les meilleurs coureurs de la planète.

Né sur la réserve Six Nations à Brantford, en Ontario, Tom peut gagner n'importe quelle course; à l'extérieur de la piste, toutefois, sa vie n'est pas facile. Il se dispute souvent avec ses gérants au sujet de son entraînement. Il subit des critiques et des insultes parce qu'il est autochtone. Mais rien ne l'arrête, il continue de gagner. En raison de la couleur de sa peau et de sa rapidité, on l'appelle le «Mercure de bronze». Dans la mythologie, Mercure est le dieu romain des voyages et le messager des dieux qui porte des sandales ailées sur les talons.

Les fossiles des schistes de Burgess

L'une des plus célèbres découvertes de fossiles a lieu en 1909 sur le mont Burgess, dans les Rocheuses. Les scientifiques découvrent les fossiles de milliers d'anciens animaux marins dans le schiste (un type de roche sédimentaire) au sommet de la montagne. Cette grande biodiversité inclut des éponges et des vers marins, ainsi que les premiers animaux munis d'yeux, de bouches, de viscères, de branchies, de pinces, de pattes articulées, de coquilles et d'épines dorsales.

Ces créatures se sont développées le long du littoral boueux entourant la Laurentie, une étendue de terre située près de l'équateur, ayant existé il y a plus de 500 millions d'années. Elles sont mortes dans une coulée de boue, emprisonnées au fond de la mer. Environ 300 millions d'années plus tard, elles ont refait surface, préservées dans la roche, à 2 500 mètres au-dessus du niveau de la mer et à des milliers de kilomètres de là où elles nageaient jadis.

Certains scientifiques affirment que les origines de toutes les espèces du règne animal, y compris des humains, remontent à ces créatures des schistes de Burgess. Il s'agit de l'un des sites scientifiques les plus importants au monde!

1910 ▪ La première barre de chocolat

La première barre de chocolat en Amérique du Nord est fabriquée en 1910, dans la chocolaterie Ganong de St. Stephen, au Nouveau-Brunswick. Il s'agit à l'origine d'une collation pour les pêcheurs. Elle est créée par James et Gilbert Ganong, qui ont ouvert une épicerie en 1873. Les deux hommes comprennent rapidement que, pour rester concurrentiels, ils doivent vendre quelque chose de spécial; ils décident donc de fabriquer des friandises. Aujourd'hui, St. Stephen est reconnue comme «la ville chocolatière du Canada» et possède même son musée du chocolat!

PROFIL

Elizabeth Arden

L'Ontarienne Florence Nightingale Graham, prénommée en l'honneur de la plus célèbre infirmière de l'histoire, semble se destiner à devenir elle aussi infirmière. Mais après avoir essayé cette profession, la jeune femme réalise vite qu'elle est trop sensible pour l'emploi. Cependant, sa formation reçue auprès de victimes de brûlures lui a appris à quel point l'apparence et l'estime de soi sont liées, et elle rêve de créer des produits de beauté.

Florence commence à fabriquer des crèmes dans sa cuisine. Certaines sentent les œufs pourris, mais elle n'abandonne pas. En 1910, elle ouvre son propre salon de beauté à New York et adopte un nouveau nom : Elizabeth Arden. Les femmes affluent dans son salon. Jusque-là, le maquillage est porté uniquement sur scène. Dans les années 1920, Elizabeth le rend disponible à toutes. Elle introduit aussi en Amérique du Nord le maquillage pour les yeux. Ses produits sont aujourd'hui vendus partout dans le monde.

1911 ▪ Parcs Canada

Fondé en 1911, Parcs Canada est le premier service des parcs nationaux dans le monde. Il est créé dans le but de protéger des espaces naturels, tout en permettant aux Canadiens de les visiter et de les apprécier. À cette époque, seuls les riches peuvent se permettre de visiter les parcs, car ceux-ci sont difficiles d'accès. Mais Parcs Canada souhaite les rendre accessibles à tous. L'organisation augmente le nombre de parcs et en crée partout au pays.

Les sites historiques, dont des forts et des lieux importants pour les peuples autochtones, sont aussi essentiels pour Parcs Canada. De plus, l'organisme met en place des mesures afin de protéger des caractéristiques naturelles particulières, comme les pingos (collines de glace recouvertes de terre) dans les Territoires du Nord-Ouest.

En 2002, Parcs Canada lance le programme des aires marines nationales de conservation, afin de protéger les côtes. Le programme vise entre autres le site de Gwaii Haanas, en Colombie-Britannique, l'aire de conservation du Lac-Supérieur, en Ontario, et le parc marin du Saguenay–Saint-Laurent, au Québec. Aujourd'hui, Parcs Canada assure la gestion de 44 parcs, 167 sites historiques nationaux, 4 aires marines nationales de conservation et 1 site naturel national.

LE SAVAIS-TU?

Le parc national Wood Buffalo est le plus vaste parc national au Canada. Situé à la frontière entre l'Alberta et les Territoires du Nord-Ouest, il est plus grand que la Suisse!

1912 ▪ Le Stampede de Calgary

Le Stampede de Calgary, dont les activités durent 10 jours, célèbre les habiletés du rodéo – comme monter un cheval sauvage, maîtriser un bouvillon et capturer un veau au lasso – qui étaient essentielles à l'époque des premiers ranchs et qui sont utilisées encore aujourd'hui.

Le premier Stampede se tient en 1912, grâce à Guy Weadick, artiste de vaudeville qui rêve de tenir une compétition mondiale de rodéo. Hommes et femmes y participent. Ce n'est qu'en 1923 que le Stampede devient un événement annuel. Aujourd'hui, le Stampede de Calgary représente une part importante de la culture et de l'histoire de la ville, et accueille chaque année plus d'un million de visiteurs du Canada et de partout dans le monde.

1913 ▪ L'exploration de l'Arctique

Lorsque l'Expédition canadienne dans l'Arctique se dirige vers le nord en 1913, c'est la première fois que le gouvernement envoie des explorateurs dans l'ouest de l'Arctique. Les 14 chercheurs et scientifiques viennent des plus grandes universités du monde pour étudier les animaux, les plantes et les roches de cette région.

Le froid extrême rend le voyage difficile. Les bateaux sont pris dans la glace, et 11 membres de l'équipage meurent avant la fin de l'expédition en 1918.

Le groupe découvre cinq îles encore inconnues, même des Inuits. Ces explorateurs revendiquent le contrôle du Canada sur une vaste région. Toutefois, des pays se disputent encore aujourd'hui la propriété de l'Arctique (page 85).

LA GUERRE ET L'APRÈS-GUERRE 1914-1928

Quand la Grande-Bretagne déclare la guerre à l'Allemagne en 1914 et s'engage dans la Première Guerre mondiale, le Canada se retrouve automatiquement en guerre. Le pays est encore un dominion britannique, alors la Grande-Bretagne décide de la façon dont le Canada doit s'entendre avec les autres pays.

Des tensions naissent au Canada autour de la conscription (la participation obligatoire des hommes à la guerre). Certains Canadiens estiment qu'il s'agit d'une guerre britannique et ne veulent pas y participer. Mais la conscription finit par avoir force de loi, et les hommes sont forcés de s'enrôler.

Le rôle des femmes canadiennes se transforme, alors que nombre d'entre elles occupent les emplois des hommes partis à la guerre. Les femmes cherchent aussi une solution au problème de l'alcool et, au début de 1918, la prohibition — une loi bannissant l'alcool — est mise en vigueur. Le sacrifice de guerre est considéré comme un devoir patriotique.

Lorsque la Première Guerre mondiale se termine à la fin de 1918, le Canada est devenu une nation plus sûre d'elle-même. Au cours de la conférence tenue en 1919 pour négocier la fin de la guerre, le Canada, qui participe à titre de pays indépendant, acquiert une plus grande reconnaissance.

1914 ▪ Le début de la Grande Guerre

L'assassinat de l'archiduc François-Ferdinand d'Autriche-Hongrie en juin 1914 déclenche la Première Guerre mondiale. D'un côté, on trouve les Empires centraux : l'Autriche-Hongrie et l'Allemagne (et plus tard la Turquie et la Bulgarie). De l'autre, il y a les Alliés : la France, la Russie, la Grande-Bretagne et les pays de l'Empire britannique, dont le Canada. Par la suite, l'Italie, le Japon et les États-Unis se joignent aux Alliés. Les Canadiens croient que la guerre sera vite terminée. Mais ils ont quatre longues années de combats devant eux.

La vie dans les tranchées

Pendant la Première Guerre mondiale, les soldats des deux côtés creusent des tranchées pour se protéger de l'avancée des troupes ennemies. Ces tranchées sont des passages qui zigzaguent profondément dans la terre le long des lignes de front, dans certaines régions de Belgique, de France et du nord de l'Italie. Pendant des semaines, les soldats combattent, mangent et dorment dans les tranchées.

Avec la pluie, les tranchées se remplissent d'eau froide et boueuse. Pour ajouter à leurs misères, les soldats développent une douloureuse infection, surnommée le « pied des tranchées », à force de rester debout dans la boue.

Les soldats épuisés ne bénéficient que de quelques jours de repos. Pendant cette pause, ils peuvent se rendre dans une ville à proximité, prendre un bon repas et, pour un moment, laisser derrière eux les horreurs de la guerre et des tranchées.

1915 ▪ La deuxième bataille d'Ypres

L'une des premières batailles impliquant des soldats canadiens pendant la Première Guerre mondiale a lieu le 22 avril 1915 à Ypres, en Belgique. C'est la première fois que les Allemands utilisent du chlore gazeux pendant la guerre. Ce gaz produit un nuage vert-jaune qui aveugle et étouffe les soldats français sur la ligne de front. À mesure que les hommes victimes du gaz battent en retraite, les Canadiens s'avancent et retiennent les Allemands.

Deux jours plus tard, les Allemands attaquent les soldats canadiens avec le gaz. Les Canadiens trempent leur mouchoir dans de l'eau boueuse ou de l'urine et le pressent contre leur visage. Malgré les bombardements intensifs des Allemands, les Canadiens réussissent à les arrêter.

Les combats se poursuivent à Ypres pendant plus d'un mois. Environ 6000 Canadiens perdent la vie ou subissent des blessures.

UNE PREMIÈRE

En 1915, après avoir vu les troupes alliées être victimes du gaz toxique, Cluny Macpherson, un Terre-Neuvien, invente le premier masque à gaz. Cluny prend un casque militaire et y ajoute une cagoule, faite d'un tissu traité pour absorber le gaz. La cagoule comporte aussi des yeux et un tube pour respirer. Son invention devient l'équipement de protection le plus important utilisé pendant la guerre.

PROFIL

John McCrae

La Première Guerre mondiale est un cauchemar pour John McCrae. Même s'il est médecin depuis plusieurs années et a servi pendant la guerre d'Afrique du Sud, dans cette guerre-ci, il est entouré de soldats morts ou mourants. Chaque jour, il soigne des centaines de blessés, mais il ne s'habitue pas à leurs terribles souffrances.

Après avoir enterré un ami sur le champ de bataille en Belgique, John prend conscience que, même s'il pense ne pas être en mesure d'aider son ami ou les autres soldats, il peut raconter leurs vies dans un poème. Dans un cimetière voisin, il aperçoit des coquelicots rouge sang qui volent au vent. Les fleurs lui inspirent un poème : *Au champ d'honneur.*

John considère que le poème n'est pas très bon et le jette. Mais un officier trouve son texte et l'envoie à des magazines et journaux en Angleterre, où il est publié le 8 décembre 1915. Avec la composition de John, le coquelicot devient la fleur du souvenir dans plusieurs pays, dont le Canada. John meurt des suites d'une pneumonie dans un hôpital sur un champ de bataille en 1918. Son poème est utilisé sur des panneaux d'affichage au Canada, dans le but de recueillir des fonds pour l'effort de guerre. On amasse 400 millions de dollars (plus de 6 milliards en dollars d'aujourd'hui), près de trois fois le montant espéré. On récite encore *Au champ d'honneur* partout dans le monde, chaque année, à l'occasion du jour du Souvenir.

Au champ d'honneur, les coquelicots /
sont parsemés de lot en lot / auprès des croix;
et dans l'espace / les alouettes devenues lasses /
mêlent leurs chants au sifflement / des obusiers.

— *Au champ d'honneur,* adaptation de Jean Pariseau

1916 ▪ La bataille de la Somme

La bataille de la Somme, nommée d'après un fleuve du nord de la France, est la plus longue et la plus sanglante de la Première Guerre mondiale. Elle établit la réputation de courage et de détermination des soldats canadiens lorsqu'ils mènent une attaque. Il s'agit également de la première fois où des chars d'assaut sont utilisés sur le champ de bataille.

Les combats commencent le 1er juillet 1916 et se poursuivent pendant plus de quatre mois. Essuyant les tirs d'obus et de balles, les Canadiens avancent lentement et accusent de lourdes pertes. Plus de 24 000 Canadiens sont tués ou blessés pendant la bataille de la Somme.

1917 ▪ Les batailles de la crête de Vimy et de Passchendaele

Pendant la Première Guerre mondiale, les Britanniques et les Français tentent, à plusieurs reprises, de prendre la crête de Vimy, dans le nord de la France, mais sans succès. En avril 1917, c'est au tour du Canada de tenter le coup. L'attaque doit commencer à l'aube. Cela veut dire que les soldats doivent passer la nuit couchés dans les tranchées. Avec la bruine qui tombe, les hommes sont gelés jusqu'aux os. Trente mille Canadiens réussissent à arracher la crête de Vimy aux Allemands. Ces courageux soldats gagnent plus de terrain et capturent plus de fusils et de prisonniers allemands que dans toute autre attaque des Alliés sur le front ouest.

Si la crête de Vimy s'avère l'une des grandes victoires du Canada pendant la guerre, on dispute aussi cette même année l'une des batailles les plus meurtrières. La crête de Passchendaele se trouve en Belgique. En octobre 1917, les soldats allemands et britanniques s'y battent depuis des semaines. Il pleut sans arrêt, et au moment où l'on fait appel aux Canadiens, à certains endroits, les soldats ont de la boue jusqu'à la taille. La boue avale les hommes, les armes et le ravitaillement. Les blessés s'y noient. Pendant plus de deux semaines, les Canadiens combattent pour prendre Passchendaele aux Allemands. Il s'agit d'une victoire importante, mais près de 16 000 Canadiens perdent la vie ou sont blessés dans les combats.

Beaumont-Hamel

La plupart des Canadiens célèbrent la fête du Canada le 1er juillet, mais, pour beaucoup de gens à Terre-Neuve-et-Labrador, il s'agit d'un moment de grande tristesse. Ce jour-là en 1916, le Newfoundland Regiment connaît des pertes importantes. Les Alliés ont prévu une attaque du village de Beaumont-Hamel, sur les rives de la Somme, pour percer la ligne de front des Allemands. Mais ces derniers sont bien préparés. Des 801 membres du Newfoundland Regiment, seuls 68 s'en tirent indemnes. Les autres sont tués, blessés ou portés disparus.

L'explosion d'Halifax

Pendant la Première Guerre mondiale, le trafic maritime est très important dans le port d'Halifax. Le matin du 6 décembre 1917, le navire belge *Imo* heurte accidentellement le *Mont Blanc*, de France. Rempli d'explosifs, le navire français finit par exploser, dans la plus importante déflagration jusque-là causée par l'homme. Une grande partie du secteur nord d'Halifax est détruite par l'explosion, ainsi que par le raz-de-marée et l'incendie qui ont suivi. On déplore plus de 1 600 morts et 9 000 blessés.

1918 ▪ Les Cent Jours

Les trois derniers mois de la Première Guerre mondiale seront par la suite connus sous le nom des «Cent Jours». Les soldats canadiens connaissent beaucoup de succès sur les champs de bataille, d'abord avec la bataille d'Amiens, le 8 août 1918. Là, les Canadiens et d'autres soldats des forces alliées percent les lignes allemandes et avancent de 13 kilomètres en une journée. Les Canadiens et les Alliés continuent d'attaquer les fortifications ennemies, appelées «la ligne Hindenburg», et capturent plus de 30 000 soldats. La guerre tire à sa fin.

L'Allemagne finit par se rendre, et la Première Guerre mondiale se termine le 11 novembre 1918. On l'appelle «la Grande Guerre», parce qu'elle a touché tant de personnes. Quelque 625 000 Canadiens se sont enrôlés. Plus de 61 000 sont morts et 172 000 autres ont été blessés.

Les femmes obtiennent le droit de vote

Au tournant du siècle, les femmes jouent un rôle plus important dans la société. Certaines font partie du mouvement des suffragettes, qui milite pour le droit de vote des femmes. À cette époque, seuls les hommes peuvent voter, même si des femmes ont déjà pu le faire au Bas-Canada (la partie sud du Québec actuel), jusqu'à ce qu'une loi, en 1834, les en empêche.

Le mouvement des suffragettes est vigoureux dans les Prairies, où milite Nellie McClung. Les provinces des Prairies sont les premières à accorder le droit de vote aux femmes, en commençant par le Manitoba, en janvier 1916. Cette année-là, Emily Murphy est la première femme de l'Empire britannique à être nommée magistrate (une sorte de juge).

La contribution des femmes à la Première Guerre mondiale, tant au pays qu'à l'étranger, aide à renforcer le mouvement des suffragettes. En 1917, la Loi des élections en temps de guerre accorde le droit de vote aux femmes parentes de soldats. La Loi des électeurs militaires accorde le droit de vote aux femmes qui font partie du personnel militaire. À la fin de la guerre, en 1918, la plupart des femmes ont le droit de vote aux élections fédérales (dans l'ensemble du pays).

En 1921, Agnes Macphail est élue au Parlement, lors de la première élection fédérale où les femmes ont le droit de vote.

LE DROIT DE VOTE DES FEMMES, C'EST IMPORTANT

RENDEZ-VOUS À L'ÉGLISE ST. JAMES À 8H30 ENTRÉE LIBRE

Les femmes obtiennent le droit de vote aux élections provinciales et territoriales

1916	Manitoba, Saskatchewan, Alberta
1917	Colombie-Britannique, Ontario
1918	Nouvelle-Écosse
1919	Nouveau-Brunswick, Yukon
1922	Île-du-Prince-Édouard
1925	Terre-Neuve (qui deviendra Terre-Neuve-et-Labrador)
1940	Québec
1951	Territoires du Nord-Ouest (Le Nunavut a fait partie des Territoires du Nord-Ouest jusqu'en 1999.)

1919 ▪ La grève générale de Winnipeg

Depuis 1872, les travailleurs canadiens ont le droit de former des syndicats pour être en mesure de négocier de meilleures conditions de travail. Mais dans les usines et dans les mines, les heures de travail sont longues, et les salaires, peu élevés. Quand les soldats canadiens reviennent au pays après la Première Guerre mondiale, ils estiment avoir le droit d'exiger un meilleur salaire, des conditions de travail plus sécuritaires et des journées de travail plus courtes.

Le 15 mai 1919, à Winnipeg, les négociations sont rompues entre la direction et les ouvriers des industries de la construction et de la métallurgie. Le Congrès des métiers et du travail de Winnipeg appelle tous les travailleurs à faire la grève pour appuyer les ouvriers.

En quelques heures, près de 30000 personnes quittent leur poste, dans ce qui deviendra la plus grande grève de l'histoire canadienne. Les tramways cessent de circuler, les services postaux et de téléphone sont suspendus, et d'autres grèves sont déclenchées partout au Canada. Les chefs d'entreprises de Winnipeg demandent l'aide du gouvernement fédéral. La Police à cheval du Nord-Ouest est appelée en renfort.

La grève dure plus d'un mois. Le 21 juin, 6000 personnes sont assemblées devant l'hôtel de ville de Winnipeg. Lorsqu'un tramway, conduit par des employés non syndiqués, s'approche des manifestants, ceux-ci le renversent et y mettent le feu. La police à cheval lance un assaut sur la foule, tuant deux personnes et en blessant plus d'une trentaine d'autres.

> « Ne vous inquiétez pas et ne travaillez pas. »
> — Western Labour News

Les grévistes retournent au travail le 25 juin 1919 parce qu'ils veulent que la violence cesse. Mais la grève générale de Winnipeg inspire d'autres groupes partout au Canada à protester contre leurs conditions de travail. Il faudra toutefois plus de 30 ans avant que les syndicats canadiens soient véritablement acceptés comme moyens de protection pour les travailleurs.

1920 ▪ Le groupe des Sept

De 1911 à 1913, un groupe de jeunes hommes commencent à peindre ensemble. Franklin Carmichael, Lawren Harris, A. Y. Jackson, Frank (plus tard Franz) Johnston, Arthur Lismer, J. E. H. MacDonald, Tom Thomson et F. H. Varley partagent une même idée, souhaitant un nouveau style de peinture qui reflète l'esprit du Canada. La plupart d'entre eux travaillent pendant la semaine, en concevant des affiches et des publicités. Mais la fin de semaine et les jours fériés, ils explorent la nature canadienne, réalisant de petits croquis avec de la peinture à l'huile, à partir desquels ils réalisent leurs grandes toiles.

Avec des couleurs vives et de grands coups de pinceau, ces artistes montrent à quel point le Canada est différent des autres pays. Ils sont conscients de faire quelque chose d'inhabituel, alors en 1920 ils décident de montrer leurs œuvres d'art dans le cadre d'une exposition de groupe, se disant que cela aidera les gens à accepter leur style. Ils se donnent le nom de « groupe des Sept ». (Avec le décès de Tom Thomson dans un accident de canot en 1917, les artistes ne sont plus que sept.)

La première exposition du groupe à Toronto, cette année-là, suscite beaucoup d'émoi. Un des critiques qualifie le groupe d'« école de la bouillie chaude », estimant que leurs peintures ressemblent plus à du gruau qu'à de l'art. D'autres apprécient la nouvelle façon rafraîchissante qu'ont ces artistes de représenter le Canada.

Les membres du groupe des Sept peignent pour montrer non seulement à quoi ressemblent certains coins du Canada, mais aussi pour exprimer les émotions que ces lieux leur font ressentir.

Armés d'un nouveau sentiment de confiance et d'indépendance depuis la Première Guerre mondiale, les Canadiens acceptent bientôt ces artistes qui réalisent des peintures si puissantes sur leur pays bien-aimé.

Des membres quittent le groupe, d'autres s'y joignent. C'est le cas d'A. J. Casson, de L. L. FitzGerald et d'Edwin Holgate. On trouve aujourd'hui des œuvres du groupe des Sept dans toutes les grandes galeries du Canada.

1921 ▪ Les armoiries

Les armoiries constituent l'un des symboles officiels du Canada. Le concept actuel est adopté le 21 novembre 1921, en même temps que le rouge et le blanc deviennent les couleurs nationales du pays.

Le bouclier au centre représente les premiers colons européens, avec les trois lions royaux d'Angleterre, le lion royal d'Écosse, la harpe royale irlandaise de Tara et la fleur de lys royale de France. Les trois feuilles d'érable représentent les Canadiens de toutes origines.

Le lion de gauche porte le drapeau britannique, et la licorne d'Écosse déploie le drapeau du royaume français. Ils se tiennent sur la devise du Canada : *A Mari usque ad Mare* (d'un océan à l'autre). Au-dessus, un lion doré tenant une feuille d'érable symbolise la bravoure et le courage. Tout en haut, on voit la couronne impériale. À la base des armoiries, on voit le lys français, le trèfle irlandais, le chardon écossais et la rose anglaise.

1922 ▪ La motoneige

Quand Joseph-Armand Bombardier est petit, se déplacer dans la neige, dans sa ville natale de Valcourt au Québec, est difficile. Le garçon adore travailler sur des machines et il est plutôt doué. Avec son frère Léopold, il décide de créer un véhicule qui permettrait de se déplacer sur la neige. En 1922, Joseph-Armand n'a que 15 ans ; les deux frères attachent un moteur de voiture et une hélice d'avion à un traîneau. Leur véhicule fascine les voisins.

Après une formation de mécanicien, Joseph-Armand ouvre un garage en 1926. Pendant son temps libre, il fait des essais. Il fabrique une machine dirigée par des skis, qui se déplace sur des chenilles. En 1937, il produit un véhicule qui peut transporter sept personnes sur la neige.

Joseph-Armand est aussi un homme d'affaires avisé et créatif, et il rêve d'inventer une machine plus petite, à une ou deux places. En 1959, il crée la motoneige Ski-Doo, transformant ainsi les transports en hiver, en particulier dans l'Arctique, et inventant du même coup un tout nouveau sport d'hiver.

LE SAVAIS-TU ?

À l'origine, Joseph-Armand Bombardier avait appelé son invention le *Ski-Dog*, parce qu'elle remplaçait les traîneaux à chiens. Après la parution d'une brochure où le g est mal imprimé dans le nom, Joseph-Armand décide de conserver *Ski-Doo*.

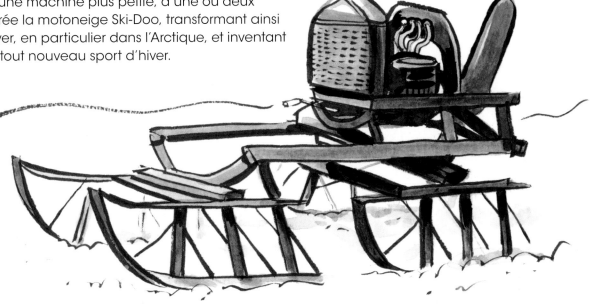

1923 ▪ Le prix Nobel de Frederick Banting

En 1921, Charles Best vient tout juste d'obtenir son diplôme de biochimie et de physiologie (des sciences qui étudient le fonctionnement des organismes vivants) lorsque son patron à l'Université de Toronto, le professeur John Macleod, lui offre la possibilité de travailler sur des expériences avec Frederick Banting. Charles saute sur l'occasion. Frederick tente de trouver un traitement pour soigner le diabète, une maladie mortelle. Il est loin de se douter que ce travail le rendra célèbre, des années avant qu'il devienne médecin.

Les médecins savent alors que le diabète est causé par une production insuffisante d'une hormone, l'insuline. Ils ignorent toutefois comment fournir de l'insuline aux patients. Frederick a une idée, et il est déterminé à faire en sorte que cela fonctionne. Avec Charles, il essaie d'injecter une solution d'insuline à des chiens diabétiques. James Collip, l'autre membre important de l'équipe, purifie l'insuline qu'ils utilisent. La santé des chiens traités à l'insuline s'améliore.

En 1922, l'insuline est testée avec succès sur un humain. Il s'agit d'une découverte médicale importante, et l'équipe remporte de nombreux prix. Frederick Banting et John Macleod obtiennent le prix Nobel de médecine en 1923, et Frederick partage son prix en argent avec Charles. Si l'insuline ne permet pas de guérir le diabète, elle permet de le contrôler. La découverte a sauvé des millions de vies partout dans le monde.

Lauréats canadiens du prix Nobel	
1923	Frederick Banting – physiologie ou médecine
1957	Lester B. Pearson (page 61) – paix
1966	Charles B. Huggins – physiologie ou médecine
1971	Gerhard Herzberg – chimie
1976	Saul Bellow – littérature
1981	David H. Hubel – physiologie ou médecine
1983	Henry Taube – chimie
1986	John Polanyi – chimie
1989	Sidney Altman – chimie
1990	Richard Taylor – physique
1992	Rudolph A. Marcus – chimie
1993	Michael Smith – chimie
1994	Bertram Brockhouse – physique
1995	Conférences Pugwash sur la science et les problèmes internationaux – paix
1996	William Vickrey – économie
1997	Myron Scholes – économie
1999	Robert Mundell – économie
2009	Willard Boyle – physique
2009	Jack W. Szostak – physiologie ou médecine
2011	Ralph M. Steinman – physiologie ou médecine
2013	Alice Munro (page 87) – littérature
2015	Arthur B. McDonald – physique

LE SAVAIS-TU ?

Charles a dû tirer à pile ou face avec un camarade de classe pour déterminer qui commencerait à travailler avec Frederick. Heureusement pour Charles, c'est lui qui a gagné !

1924 ▪ Le Quai 21

Le Quai 21 se trouve à Halifax, en Nouvelle-Écosse. Des bateaux y accostent après leur traversée de l'océan Atlantique. Les immigrants commencent à y arriver en 1924, bien que le quai n'ouvre officiellement qu'en 1928. Le site devient la «porte d'entrée au Canada». Les gens qui souhaitent s'y installer arrivent là, puis rencontrent les représentants du gouvernement. Avant d'obtenir l'autorisation d'entrer dans leur nouveau pays, les immigrants doivent subir un examen médical pour détecter les maladies infectieuses. Ils doivent aussi parler aux agents d'immigration qui examinent leurs documents de voyage et s'assurent d'intercepter tout criminel.

Nombre de ceux qui sont acceptés au pays ignorent quoi faire ensuite. Certains ne parlent ni anglais ni français. Des bénévoles aident les immigrants dans la lourde tâche de se construire une nouvelle vie dans un nouveau pays. Les installations du Quai 21 comprennent une cuisine, une salle à manger, une garderie, un hôpital et un dortoir.

Les immigrants arrivent en général avec le plus de choses possible de leur ancien foyer. Beaucoup essaient même d'apporter de la nourriture au pays, ce qui est habituellement interdit. Le plus souvent, ce sont des saucissons que les gens essaient de faire entrer au pays. Quand ils arrivent au Quai 21, on distribue gratuitement aux immigrants des flocons de maïs, mais ils n'ont jamais vu ces céréales et ne savent pas quoi en faire!

Beaucoup de petits immigrés britanniques (page 10) arrivent au Canada au Quai 21. Lorsque le Canada s'engage dans la Seconde Guerre mondiale en 1939 (page 50), le Quai 21 est repris par le ministère de la Défense nationale. Plus de 500 000 soldats canadiens partent du Quai 21 pour traverser l'océan et participer à la guerre en Europe. Plusieurs d'entre eux se marient en Grande-Bretagne ou en France. Après la guerre, ces épouses arrivent au Canada et passent elles aussi par le Quai 21.

Au fil des ans, des centaines de bateaux amènent des immigrants au Quai 21. Plus d'un million d'immigrants arrivent au Canada par cette porte d'entrée importante. Mais en 1971, beaucoup plus d'immigrants arrivent par avion plutôt que par bateau, et de moins en moins de navires accostent au Quai 21. L'installation ferme cette année-là.

En 1999, le site rouvre ses portes et devient le Musée canadien de l'immigration. On peut y voir des vidéos d'immigrants canadiens, des artefacts et des expositions sur leur périple, et entendre les histoires incroyables de personnes qui sont entrées au Canada au Quai 21.

UNE PREMIÈRE

La première compétition de nage synchronisée a lieu au YMCA, à Montréal, en 1924. D'abord appelée «nage ornementale» ou «nage scientifique», la discipline est mise au point par Peg Seller, pour les femmes qui n'aiment pas les courses de natation.

Depuis, les nageuses canadiennes ont remporté de nombreuses médailles d'or en nage synchronisée… peut-être parce que le sport est une invention canadienne!

1925 ▪ L'ascension du mont Logan

En 1925, une équipe d'alpinistes canadiens, britanniques et américains unissent leurs efforts pour atteindre pour la première fois le sommet du mont Logan, la plus haute montagne du Canada. Située à l'ouest de Whitehorse, au Yukon, la montagne est nommée en l'honneur de sir William Edmond Logan, un géologue canadien (un scientifique qui étudie la Terre), fondateur de la Commission géologique du Canada, la plus ancienne agence scientifique du pays.

L'expédition est planifiée depuis 1922, mais il faut beaucoup de temps pour obtenir le financement, planifier l'ascension, trouver un camp de base et transporter le matériel. Finalement, en mai 1925, les grimpeurs sont prêts.

Le mont Logan n'est peut-être pas le plus haut sommet du monde (et seulement le deuxième plus élevé en Amérique du Nord), mais ses températures glaciales et les violentes tempêtes qui le frappent rendent son ascension périlleuse. À certains endroits, l'épaisseur de la neige peut aller jusqu'à 300 mètres.

L'équipe d'alpinistes atteint finalement le sommet du mont Logan le 23 juin 1925. Les hommes doivent passer la nuit sur les pentes glaciales, en raison d'une grosse tempête. L'expédition dure 65 jours, mais tous les grimpeurs en reviennent sains et saufs.

LE SAVAIS-TU ?

Le mont Logan compte 11 sommets et culmine à 5 959 mètres, mais en raison du mouvement des plaques tectoniques de la Terre, il continue de grandir !

1926 ▪ L'affaire King-Byng

En octobre 1925, William Lyon Mackenzie King est premier ministre du Canada et chef du parti libéral. Mais une élection permet au Parti conservateur d'obtenir 116 sièges à la Chambre des communes ; le parti de William n'en a que 101. William réussit toutefois à demeurer premier ministre grâce au soutien des députés des autres partis, dont des députés progressistes, travaillistes et indépendants.

À cette époque, la prohibition (une loi interdisant l'alcool) est en vigueur dans certaines provinces du pays et aux États-Unis. Mais certains agents de douane canadiens acceptent des pots-de-vin de criminels qui introduisent clandestinement de l'alcool en Amérique. La corruption est révélée au grand jour et, en juin 1926, une majorité de députés demandent un vote pour montrer que le gouvernement n'est pas digne de confiance. William sait que son parti est sur le point de perdre. Il demande donc au gouverneur général, lord Julian Byng, de dissoudre le gouvernement et de déclencher une élection. Le gouverneur général refuse.

C'est la première fois qu'un gouverneur général n'accepte pas la demande d'un premier ministre de dissoudre le Parlement. William démissionne. Arthur Meighen, chef du Parti conservateur, devient premier ministre, mais son gouvernement est défait quelques jours plus tard par les libéraux et les autres députés.

On déclenche une élection, qui est remportée par le parti de William. Jusque-là, le gouverneur général représentait le roi ou la reine du Canada, ainsi que le gouvernement britannique. Après l'élection, le parti de William s'empresse de modifier le rôle de gouverneur général, pour faire en sorte qu'il représente uniquement le monarque (roi ou reine) du Canada, et pas le gouvernement britannique. Depuis, aucun autre gouverneur général n'a refusé de dissoudre le Parlement.

1927 ▪ L'exposition d'Emily Carr

À l'époque où Emily Carr grandit, la peinture est considérée comme un bon passe-temps pour les jeunes filles bien, mais pas comme un choix de carrière. Or, Emily veut peindre, en particulier les paysages luxuriants de la côte ouest de la Colombie-Britannique.

Ce qui l'inspire le plus, ce sont les villages de la Première Nation Kwakiutl. Seule, Emily se rend en bateau pour peindre les maisons du village et des mâts totémiques. Lors d'une de ses visites à Ucluelet, sur la côte ouest de l'île de Vancouver, elle est surnommée Klee Wyck, qui signifie «celle qui rit».

Emily ne gagne pas suffisamment d'argent avec sa peinture, alors elle loue des chambres dans sa maison de Victoria. Les responsabilités de logeuse sont exigeantes, et elle a moins de temps pour peindre. Mais Emily n'abandonne pas.

Ce n'est qu'en 1927 – Emily a alors 56 ans – que les gens commencent vraiment à remarquer son talent. Cette année-là, elle est invitée à présenter ses œuvres lors d'une exposition au Musée des beaux-arts du Canada, à Ottawa, où elle rencontre des membres du groupe des Sept (page 38), qui l'encouragent et l'aident. Leur inspiration l'incite à peindre des forêts, des côtes et des ciels qui scintillent de lumière et d'énergie.

Emily adore les animaux et est toujours entourée de chiens, de chats et d'oiseaux; elle a même un singe appelé Woo. L'été, elle part avec ses animaux et s'installe dans sa roulotte, qu'elle surnomme «L'Éléphant», pour être plus proche de la nature et pratiquer son art.

En 1937, après une crise cardiaque, on conseille à Emily de passer moins de temps à peindre. Alors elle se met à écrire et elle devient une auteure primée. Ses livres sont publiés dans plus de 20 langues partout dans le monde. Mais Emily est surtout connue pour ses œuvres d'art. Elle demeure l'artiste féminine la plus célèbre du Canada, et ses œuvres sont exposées dans des galeries aux quatre coins du pays.

1928 ▪ Bobbie Rosenfeld remporte l'or

Lorsque Fanny «Bobbie» Rosenfeld participe aux Olympiques en 1928, c'est la première fois que des femmes canadiennes prennent part aux compétitions. Bobbie finit par remporter une médaille d'or et une d'argent en athlétisme, et elle marque plus de points que tout autre athlète, hommes et femmes confondus. Elle mène la petite équipe féminine canadienne (surnommée «The Matchless Six», L'incomparable équipe des six) au sommet du classement.

La carrière sportive de Bobbie commence dès l'enfance. Alors que sa sœur et elle participent à un pique-nique, elles perdent leur argent pour le dîner.

Or, une course est organisée; le vainqueur remportera un repas. Bobbie veut absolument gagner… et elle gagne.

Au début de sa carrière d'athlète, Bobbie prend part à des compétitions partout en Ontario, souvent vêtue du short de son frère et des bas de son père. Elle étonne les autres concurrents et éblouit les partisans lorsqu'elle remporte les premier et deuxième prix dans des sports où elle n'a jamais compétitionné. Tennis, hockey, athlétisme, balle molle… Bobbie excelle dans toutes ces disciplines.

Bobbie remporte de nombreux prix et championnats. En 1933, toutefois, elle doit mettre fin à sa carrière sportive en raison de graves problèmes d'arthrite. Elle devient journaliste sportive et est reconnue pour son intelligence et son ferme soutien des droits des femmes.

En 1950, elle est nommée athlète féminine par excellence de la première moitié du 20e siècle.

LE SAVAIS-TU ?

En 1900, George Orton devient le premier médaillé d'or olympique canadien. Il remporte l'épreuve de *steeple-chase*, une course d'obstacles, dont un fossé rempli d'eau.

LA GRANDE CRISE 1929-1938

Les années 1930 sont difficiles pour les Canadiens. Le Canada est plus durement touché par la grande dépression que la plupart des autres pays, parce qu'il dépend largement des échanges commerciaux avec les autres nations. Les prix d'importants produits d'exportation, comme le bois d'œuvre et le bétail, chutent de façon radicale. Pour aggraver la situation, les agriculteurs des Prairies sont frappés par des sécheresses et des invasions de sauterelles qui mangent leurs récoltes.

Les Canadiens font de leur mieux pour s'entraider. Dans les provinces les plus riches, les gens font parvenir de la nourriture et des vêtements aux agriculteurs appauvris de la Saskatchewan. Le premier ministre R. B. Bennett fait même des dons personnels aux gens qui lui écrivent pour lui demander de l'aide.

Les Canadiens se remontent le moral en écoutant des émissions de radio ou, quand ils ont un peu d'argent, en allant au cinéma voir des comédies musicales et des comédies. Grâce au divertissement, ils arrivent à échapper brièvement à ces temps difficiles.

1929 ▪ L'affaire « personne »

De nos jours, les femmes peuvent être élues ou nommées partout au Parlement : à la Chambre des communes, au Sénat et au poste de gouverneur général. Elles ont acquis ces droits grâce à la détermination des Cinq femmes célèbres : Henrietta Muir Edwards, Nellie McClung, Louise McKinney, Emily Murphy et Irene Parlby.

Ces dernières, bien éduquées, travaillent en Alberta et cherchent à améliorer la vie des femmes. Elles luttent pour établir un salaire minimum pour les femmes, augmenter les droits des agricultrices et améliorer la santé des gens, en particulier dans les régions pionnières. Elles estiment qu'elles ont la responsabilité d'apporter des changements dans la société pour que chacun soit traité avec justice et équité.

C'est Emily Murphy qui est à l'origine des Cinq femmes célèbres. En 1916, au premier jour d'Emily à son nouvel emploi de magistrate, un avocat lui dit qu'elle n'a pas le droit d'être là. D'après l'Acte de l'Amérique du Nord britannique (AANB), prétend-il, une femme n'est pas une personne. Plus tard, quand un groupe de femmes exercent des pressions sur le gouvernement pour qu'Emily soit nommée sénatrice, celle-ci fait face au même argument : une femme ne peut être nommée au sénat du Canada parce qu'elle n'est pas une personne.

> « Lorsque je ne sais pas si je dois me battre ou pas, je me bats. »
> — Emily Murphy

Emily en a assez de se faire dire que, selon la loi, elle n'est pas une personne. Elle réalise qu'elle a besoin d'un groupe de cinq femmes pour contester cette règle. Alors, en 1927, les Cinq femmes célèbres s'unissent et envoient une pétition à la Cour suprême du Canada – le plus haut tribunal du pays – pour demander si, dans l'AANB, le mot « personne » comprend les personnes de sexe féminin. Les débats à la Cour suprême durent cinq semaines et se soldent par une réponse négative : non, les femmes ne sont pas incluses.

Les Cinq femmes célèbres sont choquées, mais elles n'abandonnent pas leur lutte. Elles soumettent l'affaire « personne », comme on la surnomme, au Conseil privé d'Angleterre, qui est le plus haut tribunal d'appel du Canada à cette époque. Le 18 octobre 1929, le Conseil privé déclare que « l'exclusion des femmes de toute charge publique est un vestige d'une époque plus barbare ». Enfin, les femmes obtiennent le statut juridique de personnes et peuvent donc être élues ou nommées à une fonction.

1930 ▪ Un Oscar pour Mary Pickford

À l'adolescence, Gladys Louise Smith, actrice de théâtre, ne souhaite pas particulièrement faire des films. Elle les considère comme un emploi de second ordre. Mais quand l'occasion se présente de passer une audition pour un film bien plus payant que son travail sur scène à Toronto, elle change d'avis, car elle a désespérément besoin d'argent. Elle change aussi son nom – elle s'appellera désormais Mary Pickford – et devient une grande vedette de cinéma. Dans les années 1910 et 1920, Mary est l'une des femmes les plus célèbres de son époque.

Rapidement, Mary arrive à ajuster son style d'actrice pour s'adapter au cinéma, et le public aime les personnages fougueux qu'elle incarne. Bientôt, on l'appelle «la petite fiancée de l'Amérique».

À une époque où la plupart des femmes n'ont ni emploi ni carrière, Mary peut gagner jusqu'à 350 000 $ par film,

ce qui représente alors une somme énorme. À 24 ans, elle devient la toute première millionnaire d'Hollywood. En 1919, lorsque les studios de cinéma n'arrivent plus à payer le salaire de Mary, celle-ci et d'autres vedettes de cinéma s'unissent pour créer leur propre studio, United Artists.

Mary remporte son premier Oscar en 1930 pour le film *Coquette*, et on lui décerne un Oscar honorifique en 1976 pour sa contribution à l'industrie du cinéma. Plus important encore, elle a transformé la façon dont les gens voient les femmes indépendantes.

> «*Le passé ne peut être modifié. L'avenir est encore en ton pouvoir.*»
> — *Mary Pickford*

PROFIL

Cairine Wilson

Lorsque Cairine Wilson devient la première femme nommée au Sénat en 1930, elle rencontre beaucoup d'opposition. La plupart des gens estiment que le premier ministre, William Lyon Mackenzie King, aurait dû choisir Emily Murphy, grâce à qui les femmes peuvent désormais devenir sénatrices (page 44). De plus, beaucoup d'hommes sénateurs ne veulent pas d'une femme au Sénat.

Cairine soupçonne qu'en échange de sa nomination le premier ministre s'attendra à ce qu'elle donne son accord aux propositions de son gouvernement. Mais Cairine est forte et n'a pas peur d'exprimer son désaccord.

En tant que présidente du Comité national canadien pour les réfugiés de 1938 à 1948, elle travaille sans relâche au nom des réfugiés et des immigrants. Grâce à son intérêt pour les gens venant d'autres pays, elle sera la première femme nommée déléguée du Canada aux Nations Unies, en 1949.

1931 ▪ Le Statut de Westminster

Le Statut de Westminster de 1931 décrète que le Canada et les autres pays du Commonwealth sont des partenaires égaux de la Grande-Bretagne et ont le droit d'adopter leurs propres lois.

Le Canada crée ses propres lois depuis des années, mais la Grande-Bretagne avait son mot à dire à propos des relations du Canada avec les autres pays. En 1923, le Canada signe un traité avec les États-Unis et, pour la première fois, la Grande-Bretagne n'y participe pas. Une fois le Statut de Westminster adopté en 1931, le Canada a officiellement le droit de gérer ses propres affaires, à l'étranger comme au pays.

1932 ▪ Superman

Lorsque Joe Shuster, âgé de 17 ans, esquisse le premier Superman en 1932, le personnage est bien différent du superhéros que nous connaissons aujourd'hui. Le dessinateur fait équipe avec son ami Jerome Siegel pour créer une série de bandes dessinées. En 1933, ils lancent une publication mettant en vedette un méchant appelé Superman, qui veut contrôler le monde. Plus tard cette année-là, le duo retravaille son personnage et en fait un héros nommé Clark Kent, qui possède une identité secrète.

La ville de Superman, Metropolis, est une ville imaginaire basée sur la ville natale de Joe, Toronto. Le *Daily Planet*, le journal où Clark Kent travaille, est inspiré du *Toronto Daily Star*, que Joe livrait quand il était enfant.

En 1938, Joe et Jerome vendent leur personnage à Action Comics. Superman connaît un grand succès et ouvre la voie à de nombreux autres héros.

« ... *un visiteur étrange venant d'une autre planète et doué de pouvoirs et d'aptitudes de loin supérieurs à ceux des mortels.* »

— L'idée originale de Joe Shuster pour Superman

1933 ▪ Au cœur de la grande crise

La crise économique qu'on appelle aujourd'hui «la grande dépression» commence en 1929. Partout dans le monde, les banques perdent de l'argent, les usines et les entreprises ferment leurs portes, et des millions de personnes se retrouvent au chômage.

Dans les Prairies, les agriculteurs reçoivent très peu d'argent en échange de leur blé. Pire encore, il pleut si peu dans les années 1930 que beaucoup ne peuvent rien cultiver. Leurs champs se transforment en nuages de poussière tourbillonnante.

En 1933, le pays est au plus profond de la grande crise, avec près du tiers des gens au chômage. N'ayant pas les moyens d'acheter de l'essence, certains utilisent les animaux de ferme pour tirer leur voiture. Ils surnomment ces véhicules les «charriots Bennett buggies», parce qu'ils rendent le premier ministre R. B. Bennett responsable de leur pauvreté. Ce dernier dépense d'importantes sommes d'argent pour tenter de mettre fin à la dépression. Mais avec tant de gens sans emploi, il n'a pas les moyens de résoudre le problème. Le premier ministre suivant, William Lyon Mackenzie King, n'y arrive pas lui non plus.

Ce n'est qu'en 1939, avec le déclenchement de la Seconde Guerre mondiale, que l'économie du pays commencera à se redresser.

1934 ▪ Les quintuplées Dionne

Nées le 28 mai 1934, les sœurs Dionne sont les premières quintuplées – cinq bébés nés en même temps – au monde à survivre. Jusqu'à 6000 personnes par jour se rendent au «pays des quintuplées» (*Quintland*), près de North Bay, en Ontario, pour voir jouer Annette, Cécile, Émilie, Marie et Yvonne.

LE SAVAIS-TU?

En 1943, près de trois millions de personnes visitent le «pays des quintuplées». *Quintland* est devenu la plus grande attraction touristique de l'Ontario, déclassant même les chutes du Niagara!

1935 ▪ La Banque du Canada

Pendant des années, la Banque de Montréal, la plus grande institution financière au pays, est aussi la banque du gouvernement du Canada. Mais en 1935, le gouvernement décide de créer une banque centrale distincte.

La Banque du Canada appartient au gouvernement et est son banquier. Elle émet les billets de banque. Les pièces sont produites par la Monnaie royale canadienne.

Pendant la Seconde Guerre mondiale, la Banque du Canada contribue à l'effort de guerre. Depuis, sa tâche consiste à encourager la croissance économique au Canada, principalement en contrôlant le taux d'inflation (l'augmentation des prix au fil du temps) et en préservant la valeur de la monnaie canadienne.

1936 ▪ La création de Radio-Canada

CBC/Société Radio-Canada est créée en 1936 pour permettre aux gens des quatre coins du vaste pays de garder le contact grâce à des émissions de radio en direct. Les nouvelles quotidiennes sont particulièrement importantes pendant la grande crise.

Le premier ministre R. B. Bennett aide à fonder Radio-Canada et s'adresse directement aux Canadiens à la radio, chose qu'aucun autre premier ministre n'a faite avant lui. Il annonce ses projets de salaire minimum et d'assurance-chômage, pour aider les gens pendant les périodes difficiles.

Aujourd'hui, CBC/Société Radio-Canada diffuse en français et en anglais, et envoie par satellite des émissions en langues autochtones dans l'Arctique.

> «Les Canadiens ont droit à une radiodiffusion de source canadienne, égale à tous égards à celle de tout autre pays.»
>
> — R. B. Bennett

Le *Globe and Mail*

Une autre entreprise médiatique importante est créée en 1936 : le *Globe and Mail*. Le journal naît de la fusion du *Globe* et du *Mail and Empire*, réalisée par George McCullagh. Aujourd'hui, plus de deux millions de personnes lisent chaque semaine le *Globe and Mail*, pour obtenir des nouvelles sur le Canada et le reste du monde.

1937 ▪ Glenn Gould compose de la musique

À trois ans, Glenn Gould sait déjà lire la musique. Il commence à composer en 1937, à l'âge de cinq ans seulement. À quatorze ans, il joue avec l'Orchestre symphonique de Toronto, comme pianiste soliste. Quelques années plus tard, il devient l'un des musiciens les plus importants au Canada.

Glenn Gould joue partout dans le monde, et ses interprétations sont légendaires. Il s'assoit sur une chaise basse à l'allure étrange, fredonne ou chantonne en jouant (on peut l'entendre dans certains de ses enregistrements) et se dirige lui-même. Les gens font tellement d'histoires à cause de ces habitudes bizarres qu'en 1964 Glenn cesse de jouer en public. Il finit même par être considéré comme une sorte d'ermite.

Mais Glenn continue d'enregistrer, en particulier des pièces du compositeur Jean-Sébastien Bach. Il réalise plus de 60 enregistrements, découpages, montages, jusqu'à ce qu'il obtienne la version la plus parfaite possible. Glenn apparaît également dans plusieurs films et émissions de télévision. Il crée même des émissions de radio, dont une sur sa région préférée du Canada, le Grand Nord.

1938 ▪ Norman Bethune en Chine

Quand Henry Norman Bethune a seulement huit ans, il affiche sur la porte de sa chambre la plaque ayant appartenu à son grand-père, qui était chirurgien. Il semble déjà en voie de devenir médecin.

Norman participe à la Première Guerre mondiale en Europe; il transporte des hommes

blessés sur des brancards. Il est renvoyé au Canada après avoir été lui-même blessé. Pendant sa convalescence, il obtient son diplôme de médecine et commence à soigner des patients. Mais en 1926, Norman contracte la tuberculose, une maladie pulmonaire. Il est certain qu'il va en mourir – c'est le cas de bien des gens –, jusqu'à ce qu'il lise à propos d'un possible traitement chirurgical pour soigner la maladie. Norman s'organise pour essayer le traitement, qui le guérit. Il apprend donc à réaliser lui-même l'opération.

Norman est reconnu comme un chirurgien spécialisé dans les maladies de la poitrine, du cœur et des poumons. La cisaille qu'il invente pour couper les côtes est tellement bien conçue qu'elle est encore utilisée aujourd'hui.

Quand la guerre civile éclate en Espagne en 1936, on lui demande d'y diriger une équipe médicale. Tout en soignant des blessés, il invente une banque de sang mobile qui peut être transportée sur le champ de bataille. Il effectue des transfusions au milieu des combats et sauve de nombreuses vies.

En 1938, Norman part pour la Chine, où il vit jusqu'à sa mort l'année suivante. Il traite des soldats chinois pendant la guerre avec le Japon et forme de nombreux médecins chinois. Norman est surtout reconnu pour le travail qu'il accomplit là-bas. Ses réalisations ont sauvé des vies partout dans le monde.

DE NOUVEAU EN GUERRE 1939-1953

Au déclenchement de la Seconde Guerre mondiale en 1939, les Canadiens éprouvent un nouveau sentiment de responsabilité. Les soldats canadiens vont combattre à l'étranger, comme ils l'ont fait lors de la Grande Guerre. Une fois encore, des femmes occupent les emplois laissés vacants par les hommes. Bien d'autres changements ont lieu au pays. Il devient de plus en plus difficile de nourrir sa famille, à cause du rationnement alimentaire, mais il est important d'envoyer beaucoup de nourriture aux soldats qui travaillent si fort.

Comme pendant la Première Guerre mondiale, les Canadiens se battent avec courage et gagnent le respect des autres pays du monde. À la fin de la guerre en 1945, l'industrie est florissante, et l'économie canadienne se redresse. Les goûts des gens changent, passant des films à saveur militaire et des vêtements pratiques aux films romantiques et aux styles de mode extravagants, dont les grands chapeaux à large rebord et les robes à jupe évasée.

Le Canada repart en guerre en 1950, quand la Corée du Nord envahit la Corée du Sud. Les Nations Unies envoient une force spéciale, et près de 27 000 Canadiens s'enrôlent.

1939 ▪ Début de la Seconde Guerre mondiale

Après la Première Guerre mondiale, les gens se souviennent encore très bien des horreurs du conflit. Il semble impossible que le Canada retourne au combat. Mais les choses changent quand les troupes allemandes dirigées par Adolf Hitler envahissent la Pologne en 1939.

À l'Allemagne se joignent des pays comme l'Italie et le Japon; on les appellera «les puissances de l'Axe». Dans le camp adverse, on trouve les Alliés, dont la Grande-Bretagne, l'Australie, la Nouvelle-Zélande, l'Afrique du Sud et le Canada. (La Russie et les États-Unis se joindront plus tard aux Alliés.) Le Canada ne se trouve pas automatiquement en guerre, comme quand la Grande-Bretagne a pris part à la Première Guerre mondiale (page 34). Le pays déclare la guerre de façon indépendante cette fois, le 10 septembre 1939.

La bataille de l'Atlantique

Tout au long de la guerre, des sous-marins allemands attaquent les navires transportant du ravitaillement et des avions d'Amérique du Nord en Grande-Bretagne. Les corvettes (petits navires d'escorte) et les avions canadiens, basés à Terre-Neuve et dans les Maritimes, protègent les navires de ravitaillement. Cette bataille en mer, qu'on appellera «bataille de l'Atlantique», commence en 1939 et dure toute la guerre.

À la fin du conflit, plus de 25 000 navires de ravitaillement ont traversé l'Atlantique en toute sécurité. La marine et l'aviation canadiennes coulent près de 50 des 1 100 sous-marins ennemis détruits par les Alliés. Environ 2 000 Canadiens dans la marine et 1 600 dans la marine marchande (navires commerciaux transportant des marchandises et des passagers, qui collaborent avec la marine) perdent la vie en essayant de protéger les bateaux alliés.

1940 ▪ La bataille d'Angleterre

Les premiers soldats canadiens arrivent en Angleterre en décembre 1939, prêts à combattre. Mais il ne se passe pas grand-chose. Les gens commencent à parler de ce conflit comme de la «Drôle de guerre», parce que dans les premiers mois de 1940 aucun des deux côtés n'a lancé d'attaque d'envergure. Puis l'Allemagne envahit le Danemark et la Norvège en avril, et la France, les Pays-Bas et la Belgique en mai. Les Canadiens arrivent en France en juin, prêts au combat, mais ils sont forcés de battre en retraite. À l'été 1940, l'Allemagne commence à attaquer l'Angleterre du haut des airs. La bataille d'Angleterre est la première bataille de l'histoire à être menée exclusivement avec des avions. Les Alliés n'ont à l'époque que quelques centaines de pilotes de chasse, dont près d'une centaine

de Canadiens. Mais certains des pilotes canadiens n'ont même jamais tiré sur une cible en mouvement. À la fin d'octobre 1940, 23 pilotes canadiens ont perdu la vie en tentant d'arrêter les Allemands.

Le Programme d'entraînement aérien du Commonwealth

L'une des contributions les plus importantes du Canada à la guerre est le Programme d'entraînement aérien du Commonwealth britannique (PEACB). Il s'agit d'un programme de formation pour les équipages d'Australie, du Canada, de la Grande-Bretagne et de Nouvelle-Zélande, ainsi que des pays européens occupés. Le Canada est l'endroit idéal pour ce programme : il possède de vastes ciels ouverts et se trouve loin d'attaques ennemies éventuelles, mais assez près de la Grande-Bretagne pour fournir rapidement des équipages au besoin.

Le premier cours au Canada commence en 1940. Au plus fort du programme, il y a 107 écoles de formation pour les pilotes et 184 autres sites d'entraînement partout au Canada. Lorsqu'il prend fin en 1945, plus de 130 000 bombardiers, artilleurs, pilotes, navigateurs et radiotélégraphistes ont été formés. Aujourd'hui, le Commonwealth Air Training Plan Museum, à l'aéroport de Brandon, au Manitoba, rappelle cette importante participation canadienne à la guerre.

1941 ▪ La bataille de Hong Kong

La Seconde Guerre mondiale ne se déroule pas seulement en Europe. En décembre 1941, le Japon bombarde Pearl Harbor, à Hawaï, provoquant l'entrée en guerre des États-Unis. Puis le Japon lance des attaques sur toute l'Asie du Sud-Est. Bientôt, les Japonais visent Hong Kong et Singapour, qui appartiennent alors à la Grande-Bretagne.

Près de 2 000 Canadiens sans expérience, aux côtés de soldats britanniques et indiens, sont envoyés pour défendre Hong Kong. À la mi-décembre 1941, ils affrontent la rude armée japonaise, mais le jour de Noël, ils doivent se rendre. Plus de 550 Canadiens sont tués ou périssent dans des camps de prisonniers de guerre.

1942 ▪ La bataille de Dieppe

En 1942, les choses vont mal pour les Alliés. Les Allemands occupent la France, et les soldats allemands pénètrent en Russie. Pour mettre à l'épreuve les défenses allemandes et alléger la pression sur la Russie, les Britanniques décident d'attaquer Dieppe, une ville côtière française occupée par les Allemands.

L'imposante attaque menée le 19 août implique au moins 6 000 soldats alliés. Et c'est un cauchemar. Les Allemands sont informés de l'attaque à l'avance. Ils sont prêts à accueillir les soldats qui débarquent des navires sur la plage de Dieppe. Comme le raid a lieu en plein jour, les soldats alliés sont facilement repérables. Les chars d'assaut des Alliés sont inutiles, la plage est couverte de gros galets. De tous côtés, les Allemands tirent sans arrêt.

Environ 5 000 Canadiens participent à l'attaque de Dieppe ; plus de 3 400 sont capturés, blessés ou tués. Les gens continuent de débattre des raisons d'un tel désastre. La prochaine fois que les Alliés lanceront une attaque sur la côte française (page 54), ils ne feront pas les mêmes erreurs.

LE SAVAIS-TU ?

En novembre 1942, les sous-marins allemands coulent 18 navires sur la côte est du Canada. Le pays y renforce alors ses défenses.

La détention des Canadiens d'origine japonaise

Pendant la guerre, le gouvernement du Canada traite très mal les Canadiens d'origine japonaise, car on estime qu'ils représentent une menace. En effet, le Japon, qui fait partie des puissances de l'Axe aux côtés de l'Allemagne et de l'Italie, attaque les États-Unis dans un raid aérien sur Pearl Harbor, à Hawaï, le 7 décembre 1941. Le lendemain, les soldats japonais donnent l'assaut sur la garnison britannique à Hong Kong, où certains soldats canadiens sont stationnés.

Comme la Colombie-Britannique est la région du Canada la plus proche du Japon, certains Canadiens craignent une invasion japonaise. Alors le gouvernement canadien intervient. En septembre 1942, environ 22 000 Canadiens d'origine japonaise de Colombie-Britannique se voient confisquer leurs maisons et leurs entreprises. Tout ce qu'ils ne peuvent emporter est aussi saisi, puis vendu.

Certains Canadiens d'origine japonaise sont internés, ou emprisonnés, dans des camps en Colombie-Britannique. Ils sont entassés dans des tentes ou des cabanes, souvent sans électricité ni eau courante.

Quand la guerre prend fin, on interdit à ces Canadiens d'origine japonaise de rester en Colombie-Britannique. Près de 4 000 rentrent au Japon. La plupart de ceux qui demeurent au Canada s'installent en Ontario, au Québec ou dans les Prairies. Aucun d'entre eux ne reçoit de compensation pour tout ce qui leur a été enlevé.

Ce n'est qu'en 1988 que le gouvernement canadien présente finalement des excuses aux Canadiens d'origine japonaise. Pendant la Seconde Guerre mondiale, le gouvernement a aussi emprisonné des Canadiens d'origine allemande et italienne. En 1990, le premier ministre présente des excuses aux Canadiens d'origine italienne.

1943 ▪ La campagne d'Italie

En 1943, quand les Alliés envahissent l'île de la Sicile, en Italie, les Canadiens sont présents. Ils combattent dans une nature incroyablement rude, acquérant une réputation d'endurance. La bataille dure 38 jours, mais les Alliés finissent par établir une base qui leur permet d'entrer en Italie continentale.

Malgré le pénible temps hivernal d'Ortona et la chaleur estivale de Rimini, les Canadiens luttent parmi les tirs de mitrailleuses et les mines terrestres, et continuent d'avancer. Environ 93 000 Canadiens ont servi en Italie, et 5 400 y ont perdu la vie.

PROFIL

Les frères Carty

Pendant la Première Guerre mondiale, la plupart des soldats canadiens de race noire ont dû combattre au sein d'unités séparées. Mais dans la Seconde Guerre mondiale, ils se battent aux côtés des autres soldats, dans des régiments mixtes. Cinq des sept fils de la famille Carty, de Saint John, au Nouveau-Brunswick, servent pendant la guerre. Adolphus, Clyde, Donald, Gerald et William s'enrôlent tous dans l'armée de l'air. Ils survivent et rentrent tous au pays après le conflit. Les plus jeunes frères, Malcolm et Robert, sont membres de l'armée et des cadets de l'air.

Les femmes à la guerre

Environ 45 000 Canadiennes prennent part à la Seconde Guerre mondiale. Près de 5 000 se rendent à l'étranger et servent au sein du Service féminin de la Marine royale du Canada, du Service féminin de l'Armée canadienne et de la Division féminine de l'Aviation royale canadienne. Les Canadiennes n'ont pas le droit de combattre, mais elles occupent d'autres fonctions, comme conductrices, mécaniciennes et opératrices radars. Plus de 4 000 Canadiennes servent avec courage comme infirmières dans plusieurs pays, dont la Belgique, la Grande-Bretagne et la France.

Au pays, au moins 261 000 femmes fabriquent des armes, des avions et d'autres équipements. Celles qui ne servent pas à la guerre ou ne travaillent pas dans des secteurs liés au conflit apportent quand même une contribution importante. Elles tricotent, préparent des bandages, écrivent des lettres aux soldats et ramassent et recyclent des matériaux – os, gras, métaux et caoutchouc – qui peuvent être transformés en munitions et en chars d'assaut.

Les femmes recueillent aussi de l'argent pour la guerre, grâce aux campagnes des bons de la Victoire, qui permettent d'amasser des milliards de dollars pour l'effort de guerre. Pour apporter leur contribution, les enfants achètent des timbres d'épargne de guerre.

1944 ▪ Le jour J et le débarquement de Normandie

Pour leur prochaine invasion de l'Europe, les Alliés passent des mois à former leurs soldats et à planifier leur attaque. Peu après minuit le 6 juin 1944, jour qu'on surnommera le «jour J», les avions et navires alliés commencent à bombarder les Allemands stationnés sur la côte de Normandie, dans le nord de la France.

À l'aube, plus de 100 000 soldats, dont 15 000 Canadiens, commencent à sortir massivement des navires affectés au transport des troupes. Les Canadiens débarquent sur la plage entre Vaux et Saint-Aubin-sur-Mer, une zone dont le nom de code est la «plage Juno». Ils doivent traverser la plage à découvert sous le feu nourri de l'artillerie allemande.

Ceux qui réussissent à gagner le rivage finissent par se battre dans les rues des villages avoisinants. Certains Canadiens affrontent des unités spéciales de soldats allemands, reconnus pour leur caractère impitoyable. À la fin du jour J, les Canadiens ont réussi à parcourir 9 kilomètres à l'intérieur des terres, plus que tous les autres soldats alliés. Mais 340 Canadiens perdent la vie dans cette victoire, 574 autres sont blessés et 47 sont faits prisonniers.

Malgré les violents combats, les Canadiens continuent leurs avancées en France après le jour J, appuyés par les avions alliés. Tout au long des mois de juin et juillet 1944, les hostilités se poursuivent. À Caen, les soldats canadiens et britanniques affrontent une unité allemande reconnue pour sa cruauté, mais ils réussissent quand même à prendre la ville. Les soldats canadiens continuent et en août, ils s'emparent de la ville française de Falaise. Bientôt, les Alliés pourchassent les Allemands en Belgique et aux Pays-Bas.

Le débarquement de Normandie constitue la plus vaste invasion par la mer de l'histoire ; plus de trois millions de soldats y ont participé. Environ 18 500 Canadiens sont tués ou blessés pendant la campagne de trois mois qui marque le début de la fin pour l'armée allemande.

La victoire de l'Escaut

À la fin de l'été 1944, les Canadiens se déplacent le long de la côte Atlantique, écrasant sur leur passage les bastions allemands. Au début d'octobre 1944, ils se battent pour prendre le contrôle du fleuve Escaut, en Belgique. Le sol est détrempé et marécageux, et les soldats canadiens peinent souvent pour avancer, dans la boue jusqu'à la taille.

Après un mois de combats acharnés, le 8 novembre, les Canadiens reprennent l'Escaut. Cette victoire importante permet aux Alliés d'envoyer des approvisionnements par le fleuve. Mais plus de 6 300 Canadiens sont tués ou blessés dans la bataille.

La conscription

Comme lors de la dernière guerre mondiale (page 34), la conscription s'avère un problème. Le premier ministre William Lyon Mackenzie King ne veut pas établir une loi sur la conscription, car celle-ci est impopulaire et pourrait lui coûter la prochaine élection. Alors en 1942, il tient un vote afin de voir si les Canadiens accepteraient la conscription. Comme lors de la Première Guerre mondiale, les Québécois votent massivement non, alors que le reste du Canada vote majoritairement oui. Mais la conscription demeure trop impopulaire. King ne l'introduit que vers la fin de la guerre, en 1944.

1945 ▪ Le jour de la victoire

Les Alliés continuent d'avancer à travers l'Europe. Les Canadiens contribuent à repousser les Allemands vers l'ouest par les Pays-Bas, de l'autre côté du Rhin, se battant à travers des plaines et des forêts. Les troupes anglaises et américaines continuent d'avancer, pendant que les Canadiens sont envoyés au nord des Pays-Bas.

Voyant son empire s'écrouler autour de lui, Hitler s'enlève la vie le 30 avril 1945. L'Allemagne capitule devant les Alliés. Le 8 mai, on célèbre désormais l'anniversaire de la victoire en Europe.

Les soldats canadiens libèrent les Pays-Bas des forces allemandes. Ils apportent de la nourriture et des provisions, et rendent sa liberté au peuple hollandais, qui a froid et faim. La guerre au Japon se poursuit, mais elle prend bientôt fin abruptement. Les États-Unis ont maintenant des bombes atomiques dévastatrices, fabriquées en partie avec de l'uranium canadien.

Le 6 août, une bombe nucléaire est lâchée sur Hiroshima, l'une des grandes villes japonaises, puis une autre sur Nagasaki trois jours plus tard. Environ 150 000 adultes et enfants meurent en quelques jours ou dans l'année qui suit. Les survivants souffrent d'horribles brûlures et maladies causées par les radiations. La victoire au Japon a lieu le 15 août 1945, alors que le pays capitule. La Seconde Guerre mondiale est enfin terminée.

Pendant ce conflit, plus d'un million d'hommes et de femmes se sont enrôlés dans l'armée canadienne.

Les Canadiens ont servi en Europe, dans la Méditerranée, au Moyen-Orient, en Afrique du Nord, dans le Pacifique et en Asie du Sud-Est. C'est là une contribution inestimable pour un pays dont la population n'est que de 12 millions d'habitants.

Au moins 42 000 Canadiens ont perdu la vie pendant la guerre, et 55 000 ont été blessés. Le conflit a coûté cher au Canada et à ses citoyens, mais un ennemi aussi dangereux qu'Hitler devait impérativement être arrêté. Les forces armées canadiennes ont gagné le respect, tant de leurs alliés que de leurs ennemis.

Les Nations Unies

Pendant de nombreuses années, les pays ont cherché une organisation qui aiderait à résoudre leurs différends. Avant même la fin de la Seconde Guerre mondiale, les gens commencent à travailler à la création de l'Organisation des Nations Unies (ONU). En 1945, 50 pays, dont le Canada, s'unissent pour décider de ce que fera la nouvelle organisation. L'un des rôles les plus importants de l'ONU est le maintien de la paix, et le Canada sera très impliqué dans cette tâche au fil des ans (page 61).

L'Holocauste

Pendant la Seconde Guerre mondiale, plus de six millions de Juifs sont morts aux mains d'Adolf Hitler et de ses partisans, les nazis. Hitler considère les Juifs comme une race inférieure et estime qu'ils doivent être éliminés.

À partir de 1940, les Juifs sont envoyés dans des camps de concentration, où ils sont torturés, affamés, fusillés ou gazés. Lorsque la guerre en Europe prend fin en mai 1945, les camps de la mort sont libérés, et les gens découvrent l'horrible vérité du traitement qui était réservé aux Juifs.

Les Juifs survivants doivent encore faire face à la discrimination quand ils essaient de quitter l'Europe. Le Canada a rendu très difficile leur immigration au pays, acceptant moins de 5 000 Juifs, ce qui est très peu par rapport à d'autres nations comparables. Beaucoup de Canadiens sont encore troublés et mal à l'aise devant l'échec du pays à venir en aide à ces gens désespérés.

1946 ▪ Viola Desmond milite pour l'égalité

Lorsque la voiture de Viola Desmond tombe en panne à New Glasgow, en Nouvelle-Écosse, le 8 novembre 1946, cette dernière ignore encore qu'elle est sur le point de passer à l'histoire. Coincée dans cette ville jusqu'au lendemain, elle décide d'aller au cinéma. Elle achète un billet et prend place au rez-de-chaussée. Elle n'a pas remarqué que son billet est pour une place au balcon. Seules les personnes de race blanche peuvent s'asseoir au rez-de-chaussée; les sièges pour les Noirs sont au balcon.

Quand on lui demande de changer de place, Viola essaie d'acheter un billet pour le rez-de-chaussée. Le caissier refuse. C'est la goutte d'eau qui fait déborder le vase. Viola en a assez de la discrimination raciale. Elle retourne immédiatement à son siège du rez-de-chaussée et y reste jusqu'à ce qu'un policier la traîne à l'extérieur.

Le lendemain, Viola est accusée de fraude contre la province de Nouvelle-Écosse. Le billet au balcon qu'on lui a vendu coûtait un cent de moins que celui pour le siège qu'elle occupait au rez-de-chaussée. On évite soigneusement de mentionner la couleur de la peau. Viola est reconnue coupable.

Viola se bat pour défendre ses convictions, et de nombreuses personnes lui viennent en aide, dont Carrie Best, éditrice d'un journal. Même si elle perd tous ses appels, Viola a le courage de lutter contre la discrimination. En 1954, la Nouvelle-Écosse rend finalement illégale la ségrégation raciale (la séparation en vertu de la race).

1947 ▪ Le pétrole de l'Alberta

En 1947, on découvre du pétrole à Leduc, au sud d'Edmonton. Ce champ pétrolifère et ceux qu'on trouve au cours des 30 années suivantes enrichissent l'Alberta. L'industrie pétrolière crée de nombreux emplois, et Edmonton et Calgary deviennent deux grands centres. Aujourd'hui, le pétrole constitue l'une des principales exportations du Canada. Il est aussi extrait des sables bitumineux, qui sont un mélange d'argile, de sable, d'eau et de pétrole. L'économie canadienne dépend de ce pétrole, mais le procédé d'extraction est controversé parce qu'il pollue l'air, la terre et l'eau.

1948 ▪ Le *Refus global*

En 1948, un groupe d'artistes et d'intellectuels du Québec remettent en question les valeurs traditionnelles de la province en publiant le *Refus global*. Ce manifeste, c'est-à-dire une déclaration solennelle, encourage également les Québécois à voir au-delà des frontières de leur province et à être plus ouverts à la réflexion internationale.

Les artistes québécois bien connus Paul-Émile Borduas et Jean-Paul Riopelle collaborent à la rédaction du *Refus global*. Ils sont membres d'un groupe d'artistes appelés «Les Automatistes», qui prônent le fait de dessiner ou de peindre de façon «automatique», sans juger si leur œuvre est signifiante ou agréable à regarder.

Bien que controversé, le *Refus global* est considéré comme une partie importante de l'histoire du Québec. Il conteste le style de vie québécois traditionnel, y compris les valeurs religieuses de l'Église catholique romaine, qui occupent une grande part de la vie au Québec à cette époque.

> «*Refus de se taire – faites de nous ce qu'il vous plaira mais vous devez nous entendre.*»
>
> — *tiré du* Refus global

Le manifeste est l'un des éléments déclencheurs de la Révolution tranquille (page 67), une période d'intenses transformations économiques et sociales au Québec dans les années 1960. Le *Refus global* intensifie également le nationalisme québécois.

Certaines personnes au Québec sont tellement contrariées par les idées présentées dans le *Refus global* que Paul-Émile perd son poste de professeur et, à cause de ses opinions, il a de la difficulté à trouver un autre emploi. Mais ses écrits et ses œuvres transformeront la façon dont les Québécois se voient et voient leur société.

1949 ▪ Oscar Peterson à Carnegie Hall

Adolescent, à Montréal, Oscar Peterson trouve que jouer du piano est une excellente façon d'attirer les filles. D'autres remarquent aussi son talent. Il remporte un concours national de musique à 14 ans seulement, et bientôt il joue du jazz dans des émissions de radio diffusées partout au pays.

En 1948, ses doigts rapides et son sens musical le conduisent à jouer avec les meilleurs musiciens de jazz. En septembre 1949, il joue à Carnegie Hall, à New York, comme invité-surprise. Même s'il n'est pas l'attraction principale de la soirée, Oscar ébahit les spectateurs. Cette performance lui apporte une renommée internationale.

Bientôt, l'Oscar Peterson Trio est reconnu comme le groupe de jazz le plus infatigable. Une année, le trio enregistre 11 albums. Malgré son succès, Oscar doit composer avec les préjugés à cause de la couleur de sa peau.

Au cours d'une carrière de plus de 50 ans, Oscar enregistre de nombreux albums se classant parmi les meilleurs vendeurs, s'attire des millions d'admirateurs et devient compositeur de jazz. Il reçoit de nombreuses récompenses pour sa musique, dont huit prix Grammy et le Praemium Imperiale, un prestigieux prix artistique international.

1950 ▪ Le début de la guerre de Corée

Après la Seconde Guerre mondiale, la Corée n'a pas de gouvernement. Le pays se sépare en deux parties : la Corée du Nord, appuyée par la Chine et l'Union soviétique (aujourd'hui la Russie), et la Corée du Sud, soutenue par les Américains. Quand les Nord-Coréens envahissent le Sud le 25 juin 1950, les Nations Unies (page 55) leur ordonnent d'en sortir. Les Nord-Coréens refusent, et l'ONU décide d'envoyer des troupes. La majorité de ces soldats sont américains, mais des milliers de Canadiens y sont aussi présents. Le premier bataillon canadien arrive en Corée en décembre 1950.

Les soldats canadiens combattent les troupes nord-coréennes, défendant avec courage des positions stratégiques même lorsque l'ennemi est bien plus nombreux. Ils patrouillent dans les collines et les montagnes, repérant les positions ennemies et prenant les troupes nord-coréennes en embuscade. Pendant les tempêtes, les patrouilleurs doivent veiller à ne pas être séparés du reste de leur unité.

Huit navires de la Marine royale canadienne patrouillent le long des côtes de la Corée du Sud. Un escadron de transport de l'Aviation royale canadienne effectue 600 allers-retours au-dessus du Pacifique, transportant des soldats et du ravitaillement. D'autres pilotes canadiens détruisent ou causent des dommages à 20 avions de chasse nord-coréens.

1951 ▪ La bataille de Kapyong

Le 24 avril 1951, les soldats canadiens se battent toute la nuit pour repousser de violentes attaques de l'armée chinoise dans la vallée de la Kapyong (aujourd'hui Gapyong). Celle-ci constitue une route importante pour le déplacement des troupes. Dans les collines entourant la vallée, des vagues successives d'attaquants affrontent les Canadiens à la baïonnette et au corps à corps. Ces combats comptent parmi les plus violents que les Canadiens doivent livrer au cours de la guerre de Corée.

Environ 700 Canadiens combattent 5 000 soldats ennemis, les empêchant de s'emparer de la vallée de la Kapyong et, ultimement, de prendre Séoul, la capitale de la Corée. Les Canadiens causent de lourdes pertes à l'ennemi : environ 1 000 soldats chinois sont tués et 1 000 sont blessés, comparativement à 10 morts et 23 blessés pour les Canadiens.

Aujourd'hui, la bataille de Kapyong est considérée comme l'une des plus grandes réussites militaires canadiennes, mais aussi l'une des moins connues. Les soldats canadiens reçoivent de nombreuses récompenses pour leur courage, dont des médailles décernées par les États-Unis, des distinctions rarement accordées aux combattants canadiens.

1952 • Koje-Do

En 1952, sur l'île de Koje-Do (aujourd'hui Geojedo), d'énormes enclos abritent 160 000 prisonniers de guerre chinois et nord-coréens. Mais en mai, ces soldats et officiers capturés se rebellent et s'emparent du camp dirigé par les Américains. Le gouvernement américain appelle alors les troupes canadiennes en renfort pour aider à reprendre le camp.

Une compagnie de soldats canadiens arrive sur l'île de Koje-Do le 25 mai 1952. Ces militaires aident les Américains à rétablir l'ordre dans le camp, sans effusion de sang. Leur principale responsabilité consiste à garder une enceinte d'environ 3 200 prisonniers, la plupart d'entre eux étant des officiers nord-coréens.

Les captifs se moquent de leurs gardes, mais les soldats conservent le contrôle de l'enceinte pendant six semaines. Finalement, les soldats et chars d'assaut américains entrent dans la prison et réussissent à prendre le relais.

Même si les soldats canadiens ont réussi leur mission, le gouvernement canadien est irrité du fait que ses troupes ont été envoyées à Koje-Do sans son accord. La politique de l'armée canadienne stipule que les troupes doivent demeurer ensemble et sous le commandement du pays. Le Canada proteste auprès du gouvernement américain pour faire en sorte qu'à l'avenir les troupes canadiennes restent sous commandement canadien.

1953 • La fin de la guerre de Corée

Un cessez-le-feu est finalement négocié et la guerre de Corée prend fin le 27 juillet 1953. Des 26 791 Canadiens qui ont servi dans cette guerre, 1 042 ont été blessés et 516 ont perdu la vie. Compte tenu de sa population, la contribution du Canada est plus importante que celle de la plupart des autres pays impliqués.

La guerre de Corée est parfois appelée « la guerre oubliée » du Canada. Elle a lieu peu de temps après la Seconde Guerre mondiale, et les gens ne veulent plus penser à la guerre. De plus, le conflit se termine sur une impasse ; il n'y a donc pas de victoire à célébrer. Les soldats canadiens sont des héros pour les gens qu'ils ont libérés, mais ils ont l'impression que chez eux personne ne s'en préoccupe.

Le gouvernement canadien a mis plusieurs années avant de reconnaître les sacrifices des soldats de la guerre de Corée. Le 27 juillet 1997 à Brampton, en Ontario, on dévoile le Mur du Souvenir des vétérans de la guerre de Corée. Sur ce mur, qui forme une courbe, sont inscrits les noms des soldats canadiens morts au cours de cette guerre.

Aujourd'hui, la Corée est toujours divisée en deux, la Corée du Nord et la Corée du Sud. Les soldats de chaque camp se tiennent de part et d'autre de la zone démilitarisée séparant les deux pays.

DES ANNÉES PROSPÈRES 1954-1966

Au milieu des années 1950, la Seconde Guerre mondiale est terminée depuis 10 ans, et l'avenir semble de nouveau prometteur. Quatre millions de bébés canadiens naissent uniquement dans les années 1950, dans ce qu'on appellera désormais le «baby-boom».

L'économie canadienne aussi est florissante, et les gens ont les moyens d'avoir des modes de vie plus confortables que pendant les années de guerre. Certains quittent la ville pour s'installer en banlieue, où ils peuvent acheter de plus grandes maisons. La plupart des gens ont une voiture, alors les restauvolants et les ciné-parcs poussent comme des champignons. Beaucoup de foyers canadiens ont leur premier téléviseur, et cela modifie la façon dont les familles passent du temps ensemble.

De nouvelles technologies contribuent à améliorer les transports, et le premier métro du pays parcourt la ville de Toronto dès 1954. La voie maritime du Saint-Laurent ouvre en 1959. Ses canaux et ses écluses permettent aux grands bateaux de naviguer depuis l'océan Atlantique jusqu'à l'intérieur des terres. Le 30 juillet 1962, on célèbre officiellement l'ouverture de la route transcanadienne.

Mais ce ne sont pas tous les Canadiens qui profitent des années d'expansion. Les grèves et les conflits de travail montrent que les travailleurs veulent des changements. De plus, les droits des peuples, en particulier ceux des peuples autochtones, des Canadiens de race noire, des immigrants et des femmes, s'imposent au cours des années 1960.

1954 ▪ La traversée de Marilyn Bell

Pendant des années, des gens essaient de traverser le lac Ontario à la nage, mais sans succès. En 1954, on promet 10000 $ (environ 87 000 $ en dollars d'aujourd'hui) à la nageuse américaine Florence Chadwick si elle réussit cet exploit. Certains Torontois estiment que des Canadiens devraient aussi participer, alors Marilyn Bell et Winnie Roach-Leuszler (la première Canadienne à traverser la Manche à la nage) acceptent de relever le défi.

Les nageuses doivent attendre que la météo et les conditions de l'eau soient idéales. Juste avant minuit le 8 septembre, le moment semble venu. Avec l'heure tardive, Marilyn est plutôt endormie, mais la plongée dans les eaux glaciales à Youngstown, dans l'État de New York, la réveille complètement!

La jeune fille de 16 ans doit braver les hautes vagues, les lamproies et les nappes d'huile.

Les deux autres nageuses, beaucoup plus expérimentées, abandonnent, mais Marilyn continue de nager, parfois à peine consciente. Lorsqu'elle arrive à Toronto près de 21 heures plus tard, elle et son entraîneur sont stupéfaits de voir, sur la rive, la foule immense qui l'encourage.

C'est la réussite de Winnie dans sa traversée de la Manche qui avait motivé Marilyn. À son tour, Marilyn inspire Vicki Keith, qui en 1988 traverse les cinq Grands Lacs, et Trinity Arsenault, 14 ans, qui devient en 2014 la plus jeune personne à traverser le lac Ontario à la nage.

> *« Je l'ai fait pour le Canada. »*
> — Marilyn Bell

1955 ▪ L'émeute Maurice Richard

Maurice Richard est l'un des meilleurs joueurs de la Ligue nationale de hockey (LNH). Il est surnommé «le Rocket» en raison de sa vitesse sur la glace. Il fait partie des meilleurs marqueurs et des joueurs les plus intenses de l'histoire de la LNH, et il terrorise ses adversaires. Il est le capitaine des Canadiens de Montréal, et le message qu'il adresse à ses coéquipiers avant chaque partie est: «Allons gagner cette partie!»

Le Rocket est tellement passionné de hockey qu'il lui arrive souvent de se mettre en colère. Le 13 mars 1955, au cours d'une bagarre avec un autre joueur, il atteint au passage un juge de ligne. Il est suspendu pour le reste de la saison, soit trois parties, et pour toute la durée des séries éliminatoires.

Ses partisans sont furieux, ils savent que cela va probablement l'empêcher de remporter son premier titre de meilleur compteur de la ligue et priver les Canadiens de la coupe Stanley.

Le 17 mars 1955, les partisans des Canadiens envahissent les rues de Montréal, dans l'une des pires émeutes de l'histoire canadienne. Des personnes sont blessées, des vitrines fracassées et des magasins pillés. Non seulement l'émeute montre la loyauté des partisans envers le Rocket, mais elle met aussi en évidence l'attachement des gens aux Canadiens de Montréal et à leur identité québécoise.

L'année suivante, le Rocket conduit les Canadiens à une conquête de la coupe Stanley. Au cours de sa carrière, Maurice

Richard remporte 8 fois la coupe Stanley avec les Canadiens et est le premier joueur à marquer 50 buts en 50 parties.

1956 ▪ La crise du canal de Suez

Le canal de Suez est situé en Égypte, mais il est géré par une compagnie franco-britannique. En 1956, l'Égypte reprend soudainement le canal de Suez. Beaucoup de pays s'inquiètent alors de l'imminence d'une nouvelle guerre. La compagnie veut récupérer le contrôle du canal. L'Égypte refuse et, le 31 octobre, la Grande-Bretagne et la France envahissent la région.

Lester B. Pearson, le secrétaire d'État aux Affaires extérieures, suggère aux Nations Unies (page 55) de créer une force d'urgence pour superviser un cessez-le-feu entre les deux parties. Son idée conduit à la création de la première unité internationale de maintien de la paix, sous le commandement

d'un autre Canadien, le général E. L. M. Burns.

L'année suivante, Lester remporte le prix Nobel de la paix (page 40), l'une des plus hautes distinctions mondiales. Il est le seul Canadien à l'avoir reçu. En 1963, il devient premier ministre du Canada.

La crise du canal de Suez rappelle au Canada et au monde que les pays doivent travailler ensemble à la paix. En 1949, le Canada devient membre de l'Organisation du traité de l'Atlantique Nord (OTAN), avec un groupe de 10 pays européens plus les États-Unis, qui s'engagent à collaborer si l'un d'eux est attaqué. (L'OTAN est aujourd'hui composée de 28 pays.)

En 1958, le Canada se joint aux États-Unis pour créer le

Commandement de la défense aérospatiale de l'Amérique du Nord (NORAD). Aujourd'hui, il utilise des avions, des radars et des satellites pour surveiller les activités dans le ciel de l'Amérique du Nord.

1957 ▪ Le Conseil des arts du Canada

Au milieu du siècle, la culture canadienne s'épanouit. En 1949, le gouvernement fédéral demande à une équipe dirigée par Vincent Massey d'étudier la situation des arts au Canada. La commission Massey, comme on l'appellera, publie son rapport en 1951.

La commission recommande entre autres que le gouvernement accorde un financement pour les arts, et le Conseil des arts est créé en 1957. Cette agence attribue des subventions et des prix, dont les Prix du Gouverneur général, qui comptent parmi les plus grandes distinctions au pays.

De nombreuses institutions culturelles sont fondées à cette période. Le Ballet national du Canada est formé en 1951, le Festival de Stratford et la Bibliothèque nationale du Canada (aujourd'hui Bibliothèque et Archives Canada) commencent leurs activités en 1953. En 1957, le théâtre de la Comédie-Canadienne est fondé par l'acteur et dramaturge Gratien Gélinas. À la même période, l'Office national du film, créé juste avant la Seconde Guerre mondiale, commence à réaliser des dramatiques et des documentaires.

La peinture canadienne connaît un développement important au cours de cette période. Le groupe des Onze, réunissant 11 artistes au style plus moderne et abstrait que celui du groupe des Sept, tiennent leur première exposition en 1954. Juste deux ans auparavant, le Canada a participé pour la première fois à la Biennale de Venise, une importante exposition internationale d'art tenue en Italie.

Certains des écrivains les plus appréciés au Canada, comme Mavis Gallant, Jacques Ferron, Margaret Laurence, Leonard Cohen (page 90) et Mordecai Richler (page 93), publient leur premier livre durant ces années.

PROFIL

Margaret Laurence

Jean Margaret Wemyss commence à écrire à l'âge de sept ans. Elle continue d'écrire tout au long de ses études, mais ce n'est qu'après son mariage avec John Laurence et leur déménagement en Afrique en 1950 qu'elle se met à écrire plus sérieusement. Lorsque la famille rentre au Canada en 1957, elle écrit principalement sur son pays.

Dans cinq des livres les plus célèbres de Margaret, l'action se déroule à Manawaka, au Manitoba, une ville imaginaire inspirée de sa ville natale, Neepawa. Deux de ces ouvrages, *Une divine plaisanterie* (1966) et *Les devins* (1974), remportent le Prix littéraire du Gouverneur général. Ces romans décrivent la vie dans une petite ville des Prairies, ainsi que la tension entre l'intégration dans la société et l'expression de son individualité. Margaret écrit aussi quatre livres pour enfants.

Margaret est à l'écoute des personnes isolées de la société, sensible à leur réalité. Voilà, entre autres, ce qui rend ses écrits aussi puissants. Elle utilise sa renommée pour défendre des causes environnementales, la paix et l'alphabétisation.

1958 ▪ Le premier sénateur autochtone

En 1958, James Gladstone, membre de la nation des Gens-du-Sang, en Alberta, devient le premier Indien inscrit à être nommé au Sénat du Canada. Ironiquement, en raison de son statut d'Autochtone, il obtient le droit de voter aux élections fédérales seulement en 1960 (voir ci-dessous) et, dans sa province natale, l'Alberta, en 1965. Il est un ardent défenseur des droits des Autochtones.

1959 ▪ Le masque de gardien de Jacques Plante

Après avoir été blessé lors d'une partie de hockey professionnel en novembre 1959, le gardien de but Jacques Plante refuse de retourner sur la glace à moins que son entraîneur l'autorise à porter un masque. À l'époque, dans la Ligue nationale de hockey, les gardiens n'en portent pas et ils reçoivent souvent des rondelles au visage. Ce soir-là, Jacques porte son masque, son équipe remporte la partie. Bientôt, il est imité par de nombreux gardiens.

Fierté des Canadiens de Montréal, Jacques innove aussi sur d'autres plans. Il est le premier gardien à sortir de son but pour passer la rondelle à un coéquipier ou à se glisser derrière son filet pour diriger le disque vers un défenseur.

Jacques obtient le trophée du meilleur gardien de but de la LNH à sept reprises, un record, et remporte six coupes Stanley avec les Canadiens de Montréal.

1960 ▪ La Déclaration canadienne des droits

Pendant sa première campagne électorale à titre de chef du Parti progressiste conservateur, John Diefenbaker promet aux Canadiens de nouvelles routes, de nouvelles villes et des emplois dans l'industrie minière dans le Nord, plus d'aide pour les agriculteurs et de meilleurs programmes pour les personnes démunies. Il promet aussi une déclaration des droits qui protégerait les droits fondamentaux de la personne, comme la liberté d'expression et de religion.

La plus grande réalisation de John survient en 1960, alors que le Parlement adopte la Déclaration canadienne des droits. De plus, il accorde à tous les Canadiens autochtones le droit de vote et le droit de propriété, que détiennent déjà les autres citoyens canadiens.

En 1957, il nomme Ellen Fairclough (page 64) ministre (député qui travaille étroitement avec le premier ministre) ; elle est la première femme à occuper une telle fonction. En 1958, il nomme James Gladstone (ci-dessus) au Sénat ; celui-ci est le premier Autochtone à y accéder. En 1961, il dirige le mouvement qui vise à cesser les échanges commerciaux avec l'Afrique du Sud jusqu'à ce que ce pays mette fin à ses politiques racistes.

Pour encourager les Canadiens à réfléchir aux droits de la personne, le Musée canadien des droits de la personne (illustration ci-contre) est créé en 2014. Il est situé à Winnipeg, au Manitoba. Diverses communautés habitent cette province, dont des Autochtones, des francophones et des Métis. Le musée fait la promotion du respect pour tous et suscite chez les gens, en particulier les étudiants, une réflexion sur les droits de la personne.

> «Le Parlement est l'endroit où votre liberté et la mienne sont maintenues et préservées.»
>
> — John Diefenbaker

1961 ▪ Le Nouveau Parti démocratique

Depuis 1932, la Fédération du commonwealth coopératif (CCF) est un parti politique qui attire particulièrement les agriculteurs et les travailleurs. Il vise une coopération économique et une réforme politique, en particulier pour aider les Canadiens touchés par la crise de 1929.

Au sein de la CCF, certains s'opposent à la guerre, et cette position est très impopulaire chez beaucoup de Canadiens pendant la Seconde Guerre mondiale. La CCF décide donc de s'unir au Congrès du travail du Canada pour former un nouveau parti. Le Nouveau Parti démocratique est créé en 1961.

Thomas «Tommy» Douglas devient le premier chef du parti. Il contribue de diverses manières à l'amélioration de la vie des Canadiens (page 65).

1962 ▪ Le changement des lois sur l'immigration

Au 19e siècle et au début du 20e siècle, des millions de personnes viennent s'installer au Canada, la plupart provenant de pays européens. Toutefois, nombre d'entre elles rencontrent des préjugés et des difficultés. Par exemple, des immigrants irlandais (page 9) fuyant la grande famine sont souvent durement traités, et des citoyens chinois doivent payer une importante taxe pour entrer au pays (page 16). Des groupes d'autres nationalités et religions subissent aussi de la discrimination.

Le 19 janvier 1962, la ministre canadienne de la Citoyenneté et de l'Immigration, Ellen Fairclough (ci-dessous), présente une nouvelle loi. Celle-ci vise à éliminer la discrimination à laquelle font face beaucoup de nouveaux arrivants lorsqu'ils tentent d'entrer au Canada. La loi stipule que tous les immigrants qui n'ont pas de parrain (une personne qui les appuie), mais qui détiennent la formation, les compétences ou d'autres qualifications requises sont autorisés à habiter au Canada. Ils ne peuvent faire l'objet d'une discrimination fondée sur la race, la couleur de la peau ou la nationalité.

Les nouveaux arrivants au Canada provenant de tous les pays sont finalement traités sur un pied d'égalité. L'immigration augmente rapidement, en particulier en provenance d'Asie et des Caraïbes (page 69). Bientôt, plus de la moitié des immigrants canadiens sont issus de pays à l'extérieur de l'Europe.

PROFIL

Ellen Fairclough

En tant que ministre de la Citoyenneté et de l'Immigration, Ellen Fairclough introduit en 1962 des règles pour faire cesser la discrimination à l'égard des immigrants, fondée sur leur couleur, leur race ou leur pays d'origine. Elle doit aussi répondre aux préoccupations des peuples autochtones. Deux ans plus tôt, elle a fait adopter une loi leur accordant le droit de vote aux élections fédérales.

Quand Ellen se lance en politique en 1945, elle se présente à un poste au conseil municipal de Hamilton, en Ontario. Elle perd la course par trois voix seulement. «Personne ne pourra me dire, affirme-t-elle, que ce n'est pas vrai que chaque vote compte!»

En 1957, Ellen est la première femme nommée au Cabinet. Lorsque le premier ministre, John Diefenbaker, part en voyage en 1958, il choisit Ellen comme vice-première ministre du Canada. Même si elle n'occupe cette fonction que pendant moins de deux jours, il s'agit d'un signe du rôle croissant des femmes en politique. Tout au long de sa carrière, Ellen encourage les femmes à s'engager en politique et milite pour qu'elles profitent des mêmes possibilités et reçoivent le même salaire que les hommes.

1963 ▪ Le record de Gordie Howe

Au cours des cinq dernières parties, le joueur de hockey vedette n'a pas réussi à marquer. La partie du 10 novembre 1963 commence de la même façon. Puis, alors que la deuxième période est presque terminée, Gordie reçoit une passe et effectue un tir foudroyant vers le filet des Canadiens de Montréal. Et c'est le but !

Ce soir-là, Gordie compte pour la 545e fois, ce qui fait de lui le meilleur marqueur de tous les temps de la Ligue nationale de hockey (LNH). Il détient ce record pendant presque 30 ans. Grâce à son excellent maniement de la rondelle, sa vitesse, son intelligence et sa robustesse, Gordie se classe parmi les 5 meilleurs marqueurs de la LNH pendant 20 saisons consécutives. Peu de joueurs évoluent aussi longtemps !

1964 ▪ «Le médium est le message»

Professeur d'université et philosophe, Marshall McLuhan s'intéresse aux technologies et aux communications. Il écrit sur les changements apportés dans le monde par la presse écrite des centaines d'années plus tôt, et sur l'impact des médias de masse (télévision, radio, journaux, publicité) sur ses contemporains.

En 1964, Marshall publie une affirmation qui deviendra célèbre : «Le médium est le message.»

Cela signifie que la façon dont un message est transmis fait partie du message lui-même. Avec ses livres, Marshall a transformé la façon dont les gens considèrent les technologies et leur impact sur leur vie.

1965 ▪ L'unifolié

En 1963, le premier ministre Lester B. Pearson (page 61) promet aux électeurs un nouveau drapeau typiquement canadien. Sa promesse fait l'objet d'une opposition féroce de la part du chef conservateur John Diefenbaker (page 63) et de Canadiens qui voient un nouveau drapeau comme un rejet des racines britanniques du pays. Jusque-là, le drapeau canadien est le Red Ensign, qui inclut l'Union Jack (le drapeau de la Grande-Bretagne).

Après des mois de débats virulents, le projet de loi sur le drapeau est finalement adopté en décembre 1964. Le 15 février 1965, le nouveau drapeau canadien flotte pour la première fois au-dessus de la colline du Parlement.

1966 ▪ L'assurance maladie

Quand les Canadiens sont malades ou blessés, ils peuvent aller gratuitement chez le médecin ou à l'hôpital. C'est parce qu'avec l'assurance maladie universelle les médecins sont payés par le gouvernement.

L'assurance maladie universelle entre en vigueur en 1966, en vertu de la Loi sur les soins médicaux, grâce à Tommy Douglas, qui est considéré comme le père du régime d'assurance maladie. En 1911, Tommy a sept ans et est atteint d'une maladie des os dans une jambe. Comme ses parents n'ont pas les moyens de payer pour la chirurgie qui pourrait sauver sa jambe, il doit subir une amputation. Heureusement, un médecin offre de réaliser l'opération gratuitement, et sa jambe est épargnée. Plus tard, Tommy promet de faire en sorte que jamais plus la pauvreté n'empêchera les gens d'obtenir des soins médicaux.

La grande crise de 1929 (page 47) frappe particulièrement fort en Saskatchewan, où vit Thomas. Il décide que, s'il veut changer les choses, il doit s'engager en politique. Parce qu'il est un orateur envoûtant et plein d'esprit, les gens l'écoutent. En 1935, il devient député au Parlement fédéral. Tommy passe à la politique provinciale en 1944 et est élu premier ministre de la Saskatchewan.

En 1961, Tommy retourne à la politique fédérale et devient le premier chef du Nouveau Parti démocratique (page 64).

BON ANNIVERSAIRE ! 1967-1979

Les Canadiens voient venir avec enthousiasme et optimisme le 100ᵉ anniversaire de leur pays. Expo 67, à Montréal, est l'exposition universelle la plus réussie. Pour la première fois, bien des gens de partout dans le monde prennent conscience de la grandeur du Canada.

Des projets du centenaire voient le jour dans tout le pays : de nouveaux centres communautaires, des galeries d'art et des parcs dont les gens profitent encore aujourd'hui. La qualité de vie et la prospérité atteignent un sommet sans précédent au Canada.

Le Canada commence à exercer une influence sur la scène artistique mondiale à la fin des années 1960 et dans les années 1970. Des chanteurs comme Leonard Cohen (page 90), Joni Mitchell (page 92) et Neil Young, et le groupe de Winnipeg The Guess Who sont de plus en plus connus. L'écrivaine Alice Munro (page 87) publie son premier recueil de nouvelles en 1968. La même année, la pièce de théâtre *Les belles-soeurs* de Michel Tremblay est joué pour la première fois. Le premier roman de Margaret Atwood (page 82) paraît en 1969.

Au moment où leur pays entre dans le deuxième siècle de son existence, les Canadiens en sont plus fiers que jamais.

1967 ▪ Le Canada célèbre !

Le 1ᵉʳ juillet 1967, le Canada a 100 ans. Pendant toute l'année, les Canadiens célèbrent à l'occasion de fêtes, de compétitions et d'expositions. La plus grande célébration est l'Expo 67, l'exposition universelle tenue à Montréal du 27 avril au 29 octobre. Elle attire plus de 50 millions de visiteurs. L'exposition comprend des pavillons de tous les pays du monde, sur le thème « Terre des hommes ». Non loin de là, on peut voir une autre attraction, Habitat 67, un projet domiciliaire futuriste que des gens habitent encore aujourd'hui.

En accueillant des visiteurs provenant des quatre coins du monde, les Canadiens sont immensément fiers de tout ce que leur pays a accompli au cours du siècle passé.

Pour continuer à célébrer les réalisations du pays, on crée l'Ordre du Canada pour honorer de grands Canadiens. Parmi les premiers membres intronisés le 1ᵉʳ juillet 1967, on compte une chanteuse d'opéra, une auteure, un médecin et un joueur de hockey.

1968 ▪ Le Parti Québécois

Au cours des années 1960, on voit une montée du nationalisme québécois, c'est-à-dire la fierté d'être Québécois. Dans leurs œuvres, les poètes, romanciers, cinéastes et autres artistes célèbrent la culture et l'histoire du Québec. Par exemple, quand Gilles Vigneault écrit sa chanson *Mon pays*, il parle non pas du Canada, mais du Québec.

Ce nationalisme s'inspire largement des changements apportés par le premier ministre Jean Lesage et son gouvernement libéral de 1960 à 1966. Ceux-ci ont contribué à moderniser le Québec et à favoriser la propriété québécoise. Par exemple, ils ont nationalisé plusieurs compagnies privées d'électricité. Ils ont aussi placé l'éducation sous le contrôle du gouvernement et réorganisé ce secteur, développant l'enseignement supérieur, en particulier dans le domaine des sciences. Ces transformations majeures survenues au Québec seront surnommées la «Révolution tranquille».

De plus en plus de Québécois considèrent leur province comme une nation distincte, et certains veulent qu'elle devienne un pays séparé. D'autres souhaitent qu'elle demeure au sein du Canada, mais en augmentant l'utilisation du français dans la province.

En 1968, René Lévesque et d'autres fondent un parti politique : le Parti Québécois. Cette formation veut faire du Québec une nation distincte, tout en conservant, entre autres, le système monétaire canadien. L'arrangement proposé est appelé la «souveraineté-association».

René devient premier ministre du Québec en 1976. Un an plus tard, son gouvernement adopte une loi controversée, la Charte de la langue française ou loi 101, visant à préserver la langue et la culture françaises au Québec. Cette loi stipule que tous les enfants doivent fréquenter des écoles françaises (sauf si leurs parents sont allés à l'école anglaise au Québec) et que l'affichage doit être fait en français. Même si des parties de la Charte ont été modifiées depuis son entrée en vigueur, le débat linguistique au Québec se poursuit.

1969 ▪ La Loi sur les langues officielles

L'agitation grandissante au Québec au cours des années 1960 (ci-dessus) conduit à la Commission royale d'enquête sur le bilinguisme et le biculturalisme. De 1963 à 1969, cette délégation examine la situation du français et de l'anglais au Canada.

L'un des résultats de cette commission est la Loi sur les langues officielles, adoptée par le gouvernement de Pierre Elliott Trudeau en 1969. La loi stipule que les services doivent être offerts à la fois en français et en anglais dans les tribunaux canadiens et les autres secteurs du gouvernement fédéral. La plupart des Canadiens français qui occupent un poste dans la fonction publique fédérale sont déjà bilingues, mais ce n'est pas le cas des anglophones, et nombre d'entre eux ne veulent pas apprendre le français.

En 1969, le Nouveau-Brunswick fait de l'anglais et du français ses deux langues officielles. Dans toutes les autres provinces, à l'exception du Québec, l'anglais est la langue officielle.

1970 ▪ La crise d'Octobre

Dans les années 1960, certains veulent séparer le Québec du Canada (page 67). Il y a entre autres un groupe appelé le Front de libération du Québec (FLQ), qui commence à faire exploser des bombes à Montréal. Leurs actions terroristes tuent 6 personnes et en blessent au moins 40.

En octobre 1970, le FLQ enlève un diplomate britannique, James Cross, et un politicien québécois, Pierre Laporte. Les Canadiens sont indignés. Le premier ministre Pierre Elliott Trudeau demande l'aide de l'armée pour prêter main-forte aux forces policières. Il utilise aussi la Loi sur les mesures de guerre pour étendre les pouvoirs du gouvernement et accorder à la police le droit d'arrêter des gens sans explications.

La crise d'Octobre marque la première utilisation de cette loi en temps de paix, et certains Canadiens estiment que ça va trop loin. Les membres du FLQ finissent par être capturés, mais pas avant qu'ils aient assassiné Pierre Laporte.

1971 ▪ Le réacteur CANDU

Avec une population en croissance, les besoins en énergie du pays augmentent. Une compagnie d'énergie nucléaire met au point des réacteurs pour produire de l'électricité.

En 1971, le premier réacteur CANDU est mis en service à Pickering, en Ontario. CANDU est l'acronyme de *CANada Deuterium Uranium*. Le deutérium est un autre nom de l'«eau lourde», une eau dont la composition chimique est légèrement différente. Les réacteurs nucléaires chauffent l'eau lourde pour faire bouillir de l'eau ordinaire et produire de la vapeur qui, à son tour, alimente des turbines. Cela crée de l'électricité.

À cette époque, le réacteur CANDU produit plus d'électricité que toute autre centrale nucléaire. La technologie est employée partout dans le monde, dont en Argentine, en Chine et au Pakistan.

1972 ▪ La tour CN

Dans les années 1960, à mesure qu'augmentent le nombre et la hauteur des gratte-ciel à Toronto, la qualité des signaux de télédiffusion et de radiodiffusion diminue dans la région. Pour améliorer les communications, la Compagnie des chemins de fer nationaux du Canada construit donc la tour CN.

Les travaux commencent en 1972, et la tour est achevée en 1976. À cette époque, la tour est la plus haute structure autoportante du monde, un titre qu'elle conservera pendant plus de 30 ans. Elle détient toujours les records du restaurant tournant le plus haut et le plus grand, ainsi que du plus long escalier de métal au monde!

1973 ▪ L'immigration des Caraïbes

L'immigration provenant des Caraïbes (comprenant des pays comme La Barbade, Haïti, la Jamaïque et Trinidad) commence à augmenter dans les années 1960, résultat des changements apportés aux lois canadiennes sur l'immigration en 1962 (page 64). En 1973, les personnes originaires des Caraïbes représentent près de 13 % de tous les immigrants du Canada.

La plupart des immigrants anglophones provenant des Caraïbes s'installent en Ontario. Les gens d'Haïti, la plupart francophones, ont tendance à choisir le Québec, en particulier Montréal. Tous les immigrants des Caraïbes viennent au Canada pour trouver un emploi, et ils fournissent une main-d'œuvre qualifiée dont le pays a grandement besoin.

Caribana

Le Festival Caribana est une célébration de la culture des Caraïbes. Il naît à Toronto en 1967 pour célébrer le 100ᵉ anniversaire du Canada. Cette année-là, il ne s'agit que d'un court défilé. Aujourd'hui, ce festival est la plus importante célébration culturelle en Amérique du Nord, étalée sur trois semaines en juillet et août. Le défilé, avec ses costumes époustouflants, est toujours l'événement culminant du festival. Mais le Festival Caribana comprend aussi des spectacles, des compétitions, des danses et même un carnaval pour les enfants.

1974 ▪ La première femme lieutenante-gouverneure

Pauline McGibbon a toujours affirmé qu'elle doit sa nomination au poste de lieutenante-gouverneure aux femmes qui se sont battues avec acharnement pour leurs droits. Lorsqu'elle est nommée en 1974, Pauline est la première femme lieutenante-gouverneure non seulement en Ontario, mais dans l'ensemble du Canada.

Chaque province ou territoire a un lieutenant-gouverneur (dans les territoires, on les appelle des «commissaires») qui représente le monarque du Canada (le roi ou la reine de Grande-Bretagne). Les lieutenants-gouverneurs participent à des événements et à des cérémonies, et accordent la sanction royale aux projets de loi adoptés dans leur province, leur donnant force de loi.

Pauline est reconnue pour son sens de l'humour et son amour des gens. Toute sa vie, elle travaille comme bénévole pour faire de sa collectivité un endroit où il fait bon vivre. Les arts en Ontario ont pour elle une signification particulière. Pauline transforme la fonction de lieutenant-gouverneur en voyageant à travers la province et en rencontrant de nombreux Ontariens ordinaires. Elle ouvre aussi son bureau officiel à des milliers de visiteurs et organise de nombreuses réceptions.

L'éducation est aussi très importante pour Pauline. Avec dévouement, chaleur et détermination, elle change la façon dont les gens voient le poste de lieutenant-gouverneur et le rend beaucoup plus accessible à tous les Ontariens.

D'autres lieutenants-gouverneurs font aussi les manchettes à titre de pionniers. En 1974, Ralph Steinhauer, de l'Alberta, est le premier lieutenant-gouverneur autochtone. Le premier lieutenant-gouverneur de race noire est Lincoln Alexander, nommé à ce poste en Ontario en 1985.

PROFIL

Jeanne Sauvé

Tout comme les lieutenants-gouverneurs représentent le monarque du Canada dans les provinces, le gouverneur général représente le monarque dans l'ensemble du pays. En 1984, Jeanne-Mathilde Sauvé devient la première femme gouverneure générale, ce qu'elle qualifie de «percée importante pour les femmes».

Il ne s'agit pas là de la seule «première» dans la vie de Jeanne. En 1972, elle est devenue la première Québécoise nommée ministre au gouvernement fédéral. Et en 1980, elle a été la première femme à devenir présidente de la Chambre des communes, dont la tâche consiste à maintenir l'ordre et à gérer le personnel et les dépenses de la Chambre.

1975 ▪ Le castor devient l'emblème national

L'une des premières industries importantes du Canada, le commerce de fourrures, est fondée sur le castor. Quand les colons européens arrivent au 17e siècle, ils commercent avec les peuples autochtones pour obtenir des ressources locales, dont les peaux de castor. À cette époque, les chapeaux faits en fourrure de castor sont très à la mode en Europe et très recherchés. En 1975, le Canada fait du castor l'emblème officiel du pays, pour reconnaître l'importance du commerce des fourrures. En 2017, le Canada désignera un oiseau emblématique du pays.

1976 ▪ Les Jeux olympiques de Montréal

Que les Jeux commencent! Du 17 juillet au 1er août 1976, Montréal devient la première et, à l'époque, la seule ville canadienne à accueillir les Jeux olympiques d'été. La tenue des Jeux exige la construction d'un stade, et c'est l'architecte français Roger Taillibert qui est choisi pour le créer. À ce jour, le Stade olympique demeure un symbole unique dans le ciel montréalais.

Le Canada accueille à deux reprises les Jeux olympiques d'hiver, d'abord à Calgary en 1988, puis à Vancouver en 2010.

Les Jeux d'hiver de l'Arctique

Les gens qui vivent dans l'Arctique aiment se rassembler pour célébrer la vie dans le Nord. Les Jeux d'hiver de l'Arctique sont l'un de leurs événements préférés. Ces Jeux se tiennent tous les deux ans dans une communauté différente de l'Arctique et sont en fait les «Jeux olympiques du Nord».

Malgré les longs hivers obscurs, les jeunes athlètes s'entraînent à des sports traditionnels inuits, comme le coup de pied en hauteur, le bras de fer et le saut à cloche-pied. Joueurs de tambour, interprètes de chants de gorge et danseurs passent aussi l'été à s'exercer en vue de leur participation aux cérémonies d'ouverture et de clôture des Jeux.

En mars, quand revient la lumière du soleil, les Jeux constituent une pause de l'hiver grandement appréciée, même si le printemps n'arrivera pas avant des mois. Les gagnants remportent des médailles en forme d'ulu, le couteau traditionnel dont se servent les Inuits.

LE SAVAIS-TU?

La feuille d'érable est depuis longtemps un symbole canadien. Ce n'est qu'en 1996 que l'érable devient l'emblème arboricole officiel du pays.

UNE PREMIÈRE

Aujourd'hui considéré comme l'un des plus importants festivals de cinéma au monde, le Festival international du film de Toronto (TIFF) tient sa première édition en 1976. On l'appelle alors le Festival des festivals, et il a de la difficulté à convaincre les grands studios d'Hollywood à y présenter leurs films.

Depuis, de nombreux films bien connus ont été visionnés pour la première fois au TIFF. Plus de 400 000 personnes y participent chaque année et environ 400 films y sont présentés. Souvent, les films qui connaissent du succès lors de ce festival finissent par remporter des Oscars, le plus grand prix du cinéma.

Le TIFF attire à Toronto le prestige et les vedettes de cinéma d'Hollywood. Il contribue également à célébrer le cinéma et les talents canadiens, comme les réalisateurs David Cronenberg, Atom Egoyan (page 91), Sarah Polley (page 93) et Denis Villeneuve. Le festival est aussi reconnu pour présenter des films d'Afrique, d'Asie et d'Amérique du Sud.

1977 ▪ Le premier sénateur inuit

Les Inuits canadiens obtiennent le droit de vote aux élections fédérales de 1950, mais il faut attendre en 1977 avant qu'un Inuit siège au Parlement.

Willie Adams est né à Kuujjuaq (alors appelé Fort Chimo), au Québec, en 1934. Il déménage ensuite à Rankin Inlet, au Nunavut, où il devient électricien et homme d'affaires. Willie siège à un conseil local, puis il est élu, en 1970, membre du Conseil des Territoires du Nord-Ouest (aujourd'hui l'Assemblée législative des Territoires du Nord-Ouest).

En raison de son travail comme politicien du Nord, Willie est nommé au Sénat en 1977. Il est fier d'être le premier Inuit à occuper ce poste. En tant que membre de comités du Sénat, il traite de sujets comme les pêches, les ressources naturelles et les transports.

Willie est toujours particulièrement préoccupé par les problèmes qui touchent les Inuits et il travaille avec acharnement pour protéger leurs droits. Il est membre du Sénat jusqu'en 2009, ce qui le range parmi les sénateurs qui ont occupé leurs fonctions le plus longtemps.

Les Inuits ont connu bien d'autres premières en politique canadienne. En 1979, Peter Ittinuar, des Territoires du Nord-Ouest, devient le premier Inuit élu député à la Chambre des communes. La première femme inuite première ministre est Nellie Cournoyea (page 78), qui dirige les Territoires du Nord-Ouest de 1991 à 1995. En 2008, Leona Aglukkaq devient la première Inuite nommée au Cabinet fédéral.

1978 ▪ Wayne Gretzky devient professionnel

Pas étonnant qu'on le surnomme «The Great One» (la Merveille) depuis qu'il est tout petit. À 10 ans, Wayne Gretzky marque 378 buts en seulement 68 parties de hockey. En 1978, alors qu'il n'a que 17 ans, il est le plus jeune athlète professionnel en Amérique du Nord.

Pendant la saison 1985-1986, il joue dans la Ligue nationale de hockey (LNH) pour les Oilers d'Edmonton. Il marque 215 points, un record. Au cours de sa carrière, il établit ou égale 61 records de la LNH. Il est le meilleur marqueur de l'histoire de la ligue avec 2 857 points. Wayne est le seul joueur à avoir atteint le cap des 2 000 points en carrière.

Wayne commence à jouer au hockey sur la patinoire que son père aménage dans leur cour, à Brantford, en Ontario. Il reconnaît que son père sait l'encourager, mais sans le pousser d'une manière excessive. Wayne peut s'entraîner pendant des heures; il aime tellement son sport que pour lui ce n'est pas du travail. Dans la LNH, il épuise ses coéquipiers avec ses longs entraînements.

Wayne n'est pas un joueur imposant et son style n'est pas très fluide, mais il a un tir précis et un instinct de jeu incroyable. On dirait qu'il voit les jeux se produire au ralenti et qu'il est capable d'anticiper où ira la rondelle. Les joueurs surnomment la zone derrière les buts «le bureau de Gretzky», parce que c'est là qu'il aime préparer les jeux. Et Wayne est le meilleur passeur de l'histoire du hockey: son record de 1 963 aides est là pour le prouver.

S'il est fier de ses records, Wayne est encore plus heureux d'avoir fait grandir la notoriété du hockey partout dans le monde. En 2002, il est directeur général de l'équipe olympique masculine de hockey du Canada, qu'il conduira à la médaille d'or.

1979 ▪ David Suzuki à la télévision

David Suzuki est un scientifique, environnementaliste, écrivain et animateur de télévision primé. David est d'abord reconnu pour ses travaux en génétique, la science qui étudie l'hérédité. En 1979, il commence à animer *The Nature of Things*, l'une des émissions télévisées les plus populaires de l'histoire canadienne. En présentant des sujets scientifiques de façon intéressante, David transforme la compréhension qu'ont les Canadiens de la science. Il contribue aussi à sensibiliser les gens aux questions environnementales partout sur la planète.

L'ÈRE NUMÉRIQUE 1980-1999

Avant les années 1980, certaines entreprises avaient des ordinateurs, mais peu de gens en possédaient un à la maison. À la fin du millénaire, beaucoup de familles ont un ordinateur familial. Bientôt, Internet révolutionne la façon dont les gens communiquent.

La plupart des foyers ont la télévision par câble, qui donne accès à plusieurs nouvelles chaînes. À partir de 1984, les Canadiens regardent MuchMusic pour visionner les dernières vidéos musicales. Grâce aux magnétoscopes, les gens peuvent louer ou enregistrer des émissions de télé ou des films sur des cassettes. Mais la technologie évolue rapidement et, à la fin des années 1990, un nouveau format, le DVD (vidéodisque numérique), est déjà populaire.

La technologie n'est pas la seule chose qui se transforme dans les années 1990. Le réchauffement de la planète devient une préoccupation importante, à mesure que les schémas climatiques changent. Beaucoup de Canadiens commencent à se demander comment réduire la pollution et préserver l'environnement.

1980 ▪ La course de Terry Fox

Terrance «Terry» Fox n'a que 18 ans quand il découvre qu'il est atteint d'un type rare de cancer des os. Sa jambe droite doit être amputée au-dessus du genou. Terry est déterminé à faire quelque chose pour que d'autres n'aient pas à vivre ça. Il décide de traverser le Canada à la course afin de recueillir des fonds pour la recherche sur le cancer et sensibiliser les gens à cette maladie. Cette course, Terry l'appelle le «Marathon de l'espoir».

Le 12 avril 1980, Terry entreprend son périple incroyable à Saint-Jean, Terre-Neuve. Il court chaque jour sur une distance égale à un marathon. Il affronte des tempêtes glaciales, des vents violents ou une chaleur cuisante, et il poursuit sa course.

Mais la course de Terry prend fin le 1er septembre 1980 à Thunder Bay, en Ontario. Le cancer s'est propagé jusqu'à ses poumons et l'oblige à s'arrêter. Il meurt moins d'un an plus tard.

Terry a dit un jour : «Je souhaiterais seulement que les gens comprennent que tout est possible quand on essaie.» Ce héros canadien a réalisé son rêve en amassant l'équivalent d'un dollar par Canadien. Son Marathon de l'espoir a uni le pays derrière lui et a fait honneur au Canada.

Aujourd'hui, la Fondation Terry Fox poursuit son rêve en recueillant des fonds pour trouver un remède contre le cancer. La Course Terry Fox se tient chaque année partout au Canada et ailleurs dans le monde. Elle est devenue l'une des plus grandes collectes de fonds tenues en une journée pour le cancer, et ce, grâce à un courageux héros qui avait un rêve.

> «Les rêves sont réalisables quand on essaie de les réaliser. Je crois aux miracles... Il le faut... Un moment donné, la souffrance doit cesser.»
>
> — Terry Fox

1981 ▪ Le bras spatial canadien

Il ne mesure que 15 mètres de long, mais sa construction a coûté 100 millions de dollars ! Le Canadarm, le bras manipulateur de la navette spatiale, est l'œuvre d'une équipe d'ingénieurs canadiens. Il est formé de trois sections comprenant six articulations. Pendant 30 ans, il est utilisé par la NASA dans l'espace pour saisir et manœuvrer des objets – comme des satellites et même des astronautes – avec une précision exceptionnelle. Employé pour la première fois sur la navette spatiale *Columbia* en novembre 1981, le Canadarm a fait du Canada un chef de file mondial en robotique spatiale.

1982 ▪ La Charte canadienne des droits et libertés

Quand Pierre Elliott Trudeau est réélu premier ministre en 1980, il est déterminé à «rapatrier la Constitution». La Constitution est alors l'Acte de l'Amérique du Nord britannique, qui a fondé le Canada en 1867 et fourni les règles et les principes permettant de gouverner le pays. Parce qu'il s'agit d'une loi britannique, tout changement que le Canada veut y apporter doit être fait par le Parlement britannique. Dans le passé, les politiciens canadiens ont souvent tenté d'écrire une nouvelle constitution canadienne. Mais ils n'ont jamais réussi à s'entendre sur les règles concernant la manière dont des changements y seraient apportés.

Pendant plus d'un an, Pierre négocie avec les premiers ministres des provinces, essayant de leur faire accepter les détails de la nouvelle loi. Finalement, toutes les provinces donnent leur accord, à l'exception du Québec, et la Loi constitutionnelle est signée par la reine Elizabeth au cours de sa visite au Canada en 1982. La loi autorise le Canada à apporter des changements à la Constitution. Elle inclut la Charte canadienne des droits et libertés, qui stipule que toutes les personnes sont égales devant la loi, quels que soient leur race, leur religion, leur sexe, leur âge ou leurs capacités physiques ou mentales. La Charte garantit les droits des peuples autochtones et appuie «l'héritage multiculturel des Canadiens».

> «Un pays se construit jour après jour à partir de certaines valeurs fondamentales.»
>
> — *Pierre Elliott Trudeau*

1983 ▪ Le disque d'or de Céline Dion

Céline Dion n'a que 12 ans lorsqu'en 1980 elle enregistre un démo et l'envoie à René Angélil, un producteur de disques et gérant québécois. Ce dernier est émerveillé par sa voix. Il croit tellement au talent de Céline qu'il hypothèque sa maison pour financer l'enregistrement de son premier album. Il devient plus tard son mari.

En 1983, Céline est la première Canadienne à remporter un disque d'or en France pour son album *Les chemins de ma maison*. En 1997, son album *Let's Talk About Love*, sur lequel on peut entendre la chanson *My Heart Will Go On*, du film *Titanic*, est numéro un partout dans le monde et bat le record canadien du nombre d'exemplaires vendus dans la première semaine.

Céline a vendu plus de 200 millions d'albums en carrière, ce qui fait d'elle l'une des plus grandes artistes de l'histoire de la musique pop.

1984 ▪ Le premier Canadien dans l'espace

Marc Garneau n'avait jamais rêvé de devenir astronaute, parce qu'il croyait que les Canadiens n'auraient jamais la chance d'explorer l'espace. Mais en 1983, il voit une annonce affirmant que le Canada est à la recherche d'astronautes. Marc est l'un des 6 candidats chanceux choisis parmi les 4000 qui ont postulé. Après quelques mois de formation, sa carrière est lancée.

En octobre 1984, à bord de la navette spatiale *Challenger*, cet ingénieur calme et minutieux

> *« J'ai réalisé à peu près toutes les choses dont j'aurais pu rêver – et même plusieurs que jamais je n'aurais rêvé pouvoir accomplir. »*
>
> — *Marc Garneau*

devient le premier Canadien à aller dans l'espace. Pour représenter son pays, Marc apporte un bâton de hockey et une rondelle.

En mai 1996, Marc s'envole de nouveau dans l'espace, cette fois à bord d'*Endeavour*. Il utilise le bras spatial canadien (page 73) pour récupérer un satellite et réalise des expériences, dont deux conçues par des enfants canadiens. Il retourne dans l'espace en décembre 2000 pour aider à bâtir la Station spatiale internationale. Il devient ainsi le premier Canadien à effectuer trois missions dans l'espace.

Marc est président de l'Agence spatiale canadienne (page 77) de 2001 à 2006. Il devient ensuite député ; il porte un intérêt particulier aux affaires étrangères, aux questions de défense et aux ressources naturelles. En 2015, il est nommé ministre des Transports dans le gouvernement libéral de Justin Trudeau.

LE SAVAIS-TU ?

Roberta Bondar est la première femme astronaute canadienne. Elle réalise sa mission à bord de la navette *Discovery* du 22 au 30 janvier 1992.

1985 ▪ Le tour du monde de Rick Hansen

Richard «Rick» Hansen est un garçon énergique qui adore les sports. Mais à 15 ans, à la suite d'un accident de camion, il a la moelle épinière sectionnée et les jambes paralysées. Malgré la peur et la douleur intense, Rick demeure déterminé à ne pas abandonner la pratique des sports. Quelques années plus tard, il devient un athlète en fauteuil roulant de calibre international.

Un ami de Rick, Terry Fox (page 72), l'inspire à amasser de l'argent pour la recherche sur la moelle épinière et les sports en fauteuil roulant. Rick décide d'entreprendre un périple de 40 000 kilomètres en fauteuil roulant, une distance équivalant au tour du monde. Sa tournée mondiale *L'homme en mouvement* quitte Vancouver en mars 1985 et le mène dans 34 pays.

Rick passe plus de 2 ans sur la route, roulant de 50 à 70 kilomètres par jour. Ses voyages le conduisent à travers des montagnes, des déserts et d'éblouissantes tempêtes de neige. Une fois terminée, sa tournée mondiale a permis de recueillir 26 millions de dollars.

Rick continue de promouvoir la recherche sur la moelle épinière et les athlètes handicapés grâce à l'Institut Rick Hansen.

1986 ▪ D'excellents livres pour enfants!

Avant les années 1970, la plupart des livres que les enfants canadiens lisent viennent de Grande-Bretagne, de France ou des États-Unis. Puis, au début des années 1970, certaines maisons d'édition canadiennes commencent à publier des livres pour enfants écrits et illustrés par des Canadiens. Non seulement ces belles histoires parlent du monde aux jeunes lecteurs, mais elles parlent aussi au reste du monde de ce qui est important pour les Canadiens.

En 1986, lorsque les enfants découvrent l'album *Franklin in the Dark* (Benjamin et la nuit), ils tombent immédiatement amoureux de Benjamin, une tortue courageuse et espiègle. Écrit par Paulette Bourgeois et illustré par Brenda Clark, ce livre est le premier d'une longue série vendue à plus de 60 millions d'exemplaires dans le monde, traduite en près de 40 langues et à l'origine de 2 séries télévisées.

La même année, Robert Munsch publie son livre *Je t'aimerai toujours*, aujourd'hui un classique, illustré par Sheila McGraw. Nombreux sont ceux qui estiment que le sujet est trop sérieux pour les enfants… mais ils se trompent! Le livre devient l'un des livres pour enfants les plus vendus de tous les temps.

1987 ▪ L'accord du lac Meech

La Loi constitutionnelle de 1982 (page 73) est promulguée sans le consentement du Québec. Dans l'espoir d'obtenir l'appui des provinces, le premier ministre Brian Mulroney réunit les premiers ministres des 10 provinces au lac Meech, près d'Ottawa, en 1987. Après de longues discussions, ils signent un accord déclarant que le Québec est «une société distincte» et lui accordant, ainsi qu'à d'autres provinces, certains nouveaux pouvoirs. Mais beaucoup de Canadiens n'aiment pas cet accord. Certains estiment qu'il donne trop de pouvoir aux provinces. D'autres affirment qu'il favorise le Québec. Quand l'accord est présenté aux assemblées législatives provinciales, il n'est pas approuvé au Manitoba et à Terre-Neuve.

Elijah Harper, un député autochtone à l'Assemblée législative du Manitoba, bloque l'accord du lac Meech en refusant d'y donner son consentement. L'une des raisons de son refus est que l'entente donne aux provinces le droit d'empêcher le Yukon et les Territoires du Nord-Ouest (où vivent de nombreux Autochtones) de devenir des provinces.

Brian Mulroney essaie de nouveau avec l'accord de Charlottetown en 1992. Cette fois, il rencontre les chefs autochtones et les dirigeants des deux territoires, ainsi que les premiers ministres des provinces. Mais lorsque l'accord est mis au vote dans un référendum public, les Canadiens, dont la majorité des Québécois, votent contre.

Le huard canadien

En 1987, le huard, ou pièce de un dollar, remplace le billet de un dollar. La pièce doit son nom au huard qui orne une de ses faces.

On cache un huard dans la glace de la patinoire aux Jeux olympiques d'hiver de 2002, et les équipes masculine et féminine du Canada remportent toutes deux la médaille d'or !

En 1996, on introduit la pièce de deux dollars. La dernière pièce de un cent est frappée en 2012.

1988 ▪ La première femme autochtone au Parlement

En 1988, Ethel Blondin-Andrew devient la première femme autochtone élue à la Chambre des communes.

Née à Tulita, dans les Territoires du Nord-Ouest, Ethel est membre de la Première Nation des Dénés. Pendant son mandat au Parlement, elle défend vigoureusement les droits des peuples autochtones. En tant que ministre d'État à l'Enfance et à la Jeunesse, elle s'attaque aussi aux problèmes qui touchent les jeunes, en particulier l'emploi. Elle ouvre la voie à d'autres femmes autochtones au Parlement.

1989 ▪ L'Agence spatiale canadienne

Dans les années 1980, le Canada progresse énormément dans le domaine des sciences spatiales. Pour continuer de développer le secteur, l'Agence spatiale canadienne (ASC) est créée en mars 1989. Cette organisation fait la promotion d'une utilisation pacifique de l'espace au profit de tous les Canadiens. Elle gère entre autres le Programme des astronautes canadiens. L'ASC contribue à entraîner des astronautes tels que Marc Garneau (page 74), Roberta Bondar (page 74) et Chris Hadfield (page 91). L'agence finance aussi le Canadarm2, le successeur du bras spatial canadien (page 73), ainsi que Dextre, une main robotique qui contribue à l'entretien de la Station spatiale internationale.

L'une des missions les plus importantes de l'ASC est son programme de satellites. RADARSAT, un satellite de télédétection mis au point conjointement par le Canada et les États-Unis, est lancé en 1995. Il utilise une technologie micro-ondes de pointe pour fournir des images à haute résolution de la Terre, quelles que soient les conditions météorologiques, en dépit des nuages, de l'obscurité et du brouillard. RADARSAT peut assurer la surveillance des ressources naturelles et examiner l'environnement.

L'ASC collabore aussi avec d'autres pays, dont le Japon et la Russie, à des projets comme la Station spatiale internationale. Elle contribue ainsi à promouvoir la coopération internationale au moyen de la recherche scientifique.

La tuerie de l'École polytechnique

Le 6 décembre 1989, 14 femmes sont abattues à l'École polytechnique de Montréal. Le tireur estimait que les féministes avaient ruiné sa vie et que des femmes ne devraient pas étudier dans cette école pour devenir ingénieures.

Depuis ce triste jour, les Canadiens ont fait du 6 décembre la Journée nationale de commémoration et d'action contre la violence faite aux femmes. Partout au pays, des hommes et des femmes se rassemblent pour se souvenir des femmes qui ont été tuées à Montréal, ainsi que des autres femmes qui sont victimes de violence et de discrimination.

1990 ▪ La crise d'Oka

Quand la petite ville d'Oka, près de Montréal, autorise la réalisation de travaux de construction sur des terres traditionnellement utilisées par les Mohawks – qui comprenaient entre autres un cimetière –, une importante controverse éclate.

Pour empêcher l'accès à la pinède où des arbres doivent être abattus pour permettre l'agrandissement d'un terrain de golf et la construction d'un ensemble de condominiums, les Mohawks de la réserve de Kanesatake érigent des barricades. L'armée canadienne est appelée en renfort. Des partisans de partout au Canada se joignent aux manifestants. L'impasse entre les soldats, les policiers et les manifestants dure pendant plus de deux mois. Un policier perd la vie.

Les projets de la ville finissent par être abandonnés, et le gouvernement canadien achète la terre pour la protéger de toute exploitation éventuelle.

1991 ▪ Le déclenchement de la guerre du Golfe

L'Iraq, un pays du Moyen-Orient, a longtemps considéré que son voisin, le Koweït, faisait en réalité partie de son territoire. Alors, en août 1990, l'Iraq envahit le Koweït. Le Canada est l'un des premiers pays à condamner l'attaque.

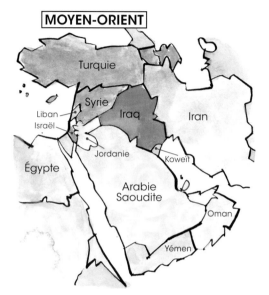

MOYEN-ORIENT

Turquie
Syrie
Liban
Israël
Iraq
Iran
Jordanie
Koweït
Égypte
Arabie Saoudite
Oman
Yémen

Les Nations Unies (page 55) déclarent que les actions iraquiennes ne sont pas justifiées et autorisent l'utilisation de la force pour expulser les soldats iraquiens. C'est le début de la guerre du Golfe.

À partir de la fin 1990, 35 pays, dont le Canada, envoient des troupes pour libérer le Koweït. En janvier 1991 commence une guerre aérienne. Environ 4000 membres des Forces armées canadiennes servent dans la région. C'est la première fois que des femmes soldates canadiennes prennent part aux combats.

Les destroyers canadiens interceptent les navires suspects dans la région. Dans les airs, les pilotes d'avions à réaction canadiens attaquent des cibles au sol, alors que d'autres avions canadiens transportent des soldats et des marchandises. Au sol, les militaires canadiens surveillent les bases militaires. Le Canada met aussi sur pied un hôpital de campagne près des lignes de front pour soigner les soldats blessés.

Un cessez-le-feu est négocié le 3 mars 1991, et la guerre du Golf prend fin officiellement. Aucun Canadien ne perd la vie pendant les combats. Les troupes canadiennes demeurent près de la frontière entre l'Iraq et le Koweït pendant près de deux ans, comme soldats du maintien de la paix. Ils surveillent la zone, enquêtent sur les violations du cessez-le-feu et désamorcent des mines terrestres.

1992 ▪ Les Blue Jays remportent la Série mondiale

Le 24 octobre 1992, le Canada est en liesse. Les Blue Jays de Toronto deviennent la première équipe canadienne de baseball à remporter la Série mondiale. Les Blue Jays jouent dans la Ligue américaine seulement depuis 1977. Jamais une équipe de la ligue n'a remporté le championnat après si peu d'années.

Les Blue Jays remportent de nouveau la Série mondiale en 1993, avec le coup de circuit gagnant de Joe Carter. C'est la première équipe en près de 20 ans à remporter le titre 2 années de suite! L'équipe établit aussi plusieurs records quant au nombre de spectateurs. Plus de six millions de partisans viennent les voir jouer à leurs quatre premières saisons. Uniquement pendant la saison 1993, plus de quatre millions de partisans assistent à leurs parties jouées à domicile.

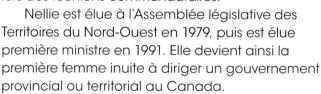

PROFIL

Nellie Cournoyea

Nellie Cournoyea grandit selon le mode de vie traditionnel de son peuple, les Inuvialuits du delta du Mackenzie. Sa famille travaille et chasse sur la côte de la mer de Beaufort. À huit ans, Nellie s'intéresse à la politique et a la tâche de noter ce qui se dit lors des réunions communautaires.

Nellie est élue à l'Assemblée législative des Territoires du Nord-Ouest en 1979, puis est élue première ministre en 1991. Elle devient ainsi la première femme inuite à diriger un gouvernement provincial ou territorial au Canada.

Elle quitte son poste de première ministre en 1995 et dirige la compagnie qui assure la gestion des terres et de l'argent qu'elle a contribué à négocier en 1984 dans une revendication territoriale. Elle continue de travailler sans relâche pour aider son peuple à déterminer son propre avenir.

1993 ▪ La première femme première ministre

Adolescente, Kim Campbell ose croire qu'un jour elle sera première ministre. Elle fait ses premières armes en politique à l'école secondaire. Jamais une fille n'avait encore été élue présidente du conseil étudiant, mais Kim se présente et remporte l'élection. À l'université, elle devient la première présidente de sa cohorte de première année.

L'élection de Kim comme députée pour le Parti conservateur en 1988 s'avère très serrée. Elle gagne pas moins de 300 voix. Alors que la plupart des députés attendent quelques années avant d'obtenir un poste au Cabinet, le premier ministre Brian Mulroney nomme immédiatement Kim ministre des Affaires indiennes. L'année suivante, il lui confie le ministère de la Justice. En 1993, elle devient ministre de la Défense nationale et des Anciens Combattants.

Kim fait du bon travail, mais au début des années 1990, Brian Mulroney est très impopulaire, tout comme son parti. Quand il démissionne comme chef du Parti conservateur en 1993, Kim s'empresse de se porter candidate pour lui succéder. Elle est élue et remplace Mulroney au poste de premier ministre.

Le triomphe de Kim est toutefois de courte durée, car bientôt une autre élection fédérale s'annonce. Dans sa campagne, elle promet «une nouvelle façon de faire de la politique», mais cela importe peu pour les électeurs qui veulent uniquement se débarrasser des Conservateurs. Seuls deux députés conservateurs sont élus en 1993, et Kim n'en fait pas partie.

UNE PREMIÈRE

En 1993, Jean Augustine est la première Noire élue au Parlement. Peu après, elle est nommée secrétaire parlementaire (assistante spéciale) du premier ministre.

En 1995, Jean contribue à faire en sorte que février soit désigné, partout au Canada, le Mois de l'histoire des Noirs. Elle devient en 2002 la première Canadienne de race noire à accéder au Cabinet du premier ministre, où elle occupe le poste de secrétaire d'État chargée du Multiculturalisme et de la Situation de la femme.

Jean est particulièrement préoccupée par les questions sociales. Elle s'emploie sans relâche à améliorer la vie des jeunes Canadiens et elle appuie le Jean Augustine Scholarship Fund, qui offre des bourses à des mères chefs de famille qui étudient dans un collège de Toronto.

1994 ▪ Le Parti Québécois au pouvoir

Après l'échec de l'accord de Charlottetown en 1992 (page 76), le mouvement séparatiste au Québec s'est développé. Un an plus tôt, en 1991, un nouveau parti politique fédéral a été formé : le Bloc Québécois, un parti séparatiste au Parlement.

Le Parti Québécois (page 67), un parti séparatiste arrive au pouvoir au Québec en 1994. Son chef, Jacques Parizeau, devient premier ministre de la province. Dans un référendum tenu l'année suivante, le parti obtient presque assez de voix – 49,42 % – pour permettre au Québec d'entreprendre les démarches pour se séparer du Canada.

Les indépendantistes sont inspirés par les discours enflammés de Lucien Bouchard, chef et fondateur du Bloc Québécois. Celui-ci devient premier ministre du Québec de 1996 à 2001. Le taux de participation au référendum de 1995 est le plus élevé de toute l'histoire des élections au Québec.

1995 ▪ Craig Kielburger crée Kids Can Free the Children

Le matin du 19 avril 1995, en cherchant les bandes dessinées dans le journal, Craig Kielburger, 12 ans, est stupéfait de voir la photo d'un enfant travailleur de son âge au Pakistan ; celui-ci luttait contre les mauvaises conditions de travail et a été assassiné à cause de ses protestations. Craig s'interroge sur les conditions de travail des enfants dans le monde ainsi que sur leur pauvreté, leur santé et leur sécurité.

Cette année-là, Craig et son frère Marc créent l'organisme Kids Can Free the Children (plus tard, Free the Children). Ce mouvement est le plus grand réseau mondial de jeunes, aidant des millions d'enfants dans plus de 45 pays.

Voyager partout dans le monde, échanger avec des jeunes et rencontrer des dirigeants politiques ne sont que quelques-unes des nombreuses activités de Craig. «Les jeunes ont beaucoup à apporter, affirme Craig. Nous n'avons peut-être pas toutes les réponses, mais nous sommes prêts à apprendre ; nous ne manquons pas d'énergie ni d'enthousiasme.» Pour souligner son travail, Craig a été mis en nomination pour le prix Nobel de la paix.

1996 ▪ Alanis Morissette au sommet des palmarès

Alanis Morissette est une auteure-compositrice-interprète de rock alternatif. Elle a remporté de nombreux grands prix musicaux au Canada et aux États-Unis. L'album qui l'a fait connaître, *Jagged Little Pill*, paraît en 1995. Il demeure au sommet des palmarès pendant 19 semaines consécutives en 1996. L'album se vend à 33 millions d'exemplaires dans le monde et se classe au deuxième rang des ventes pour les albums de musiciennes (après une autre Canadienne, Shania Twain !).

Depuis, Alanis a enregistré de nombreux autres albums et a joué dans des pièces de théâtre, des émissions de télévision et des films. Elle est aussi reconnue pour son militantisme et a aidé à sensibiliser les gens aux questions environnementales et aux troubles alimentaires.

1997 ▪ Lilith Fair

Jeune, Sarah McLachlan se décrit comme «une adolescente rebelle typique, avec une planche à roulettes et un sale caractère». Elle commence sa carrière musicale par l'étude de la guitare classique, du piano et de la voix, mais elle passe rapidement à la musique pop. Aujourd'hui, elle est une auteure-compositrice et interprète talentueuse reconnue pour ses paroles très personnelles, ses magnifiques mélodies et sa voix haute et douce.

Sarah trouve très important d'aider d'autres femmes dans le domaine de la musique. De 1997 à 1999, elle organise Lilith Fair, un festival de musique exclusivement féminin. En 1997, il s'agit de la plus grande tournée de concerts nord-américaine, qui permet la vente de plus de 22 millions d'albums. Le festival rapporte aussi plus de 7 millions de dollars pour des œuvres de charité.

Sarah appuie de nombreuses organisations caritatives, dont la Sarah McLachlan School of Music qui offre des cours de musique gratuits à des jeunes à risque de Vancouver. «Quand j'étais enfant, affirme Sarah, la musique m'a sauvé la vie. Cette chose unique pour laquelle je savais que j'avais du talent a fait toute la différence.»

LE SAVAIS-TU ?

Le pont de la Confédération, qui relie l'Île-du-Prince-Édouard au Nouveau-Brunswick, est achevé en 1997. Avant, il fallait prendre le traversier pour se rendre de l'île à la terre ferme.

1998 ▪ Le traité avec les Nisga'a

En 1998, après 25 ans de négociation, un traité est conclu avec les Nisga'a. L'entente accorde au peuple Nisga'a de Colombie-Britannique la propriété de certaines de leurs terres ancestrales dans le nord-ouest de la province. Elle stipule que les Nisga'a peuvent élire leur propre gouvernement et faire leurs propres lois. Celles-ci s'appliquent à toutes les personnes se trouvant sur le territoire des Nisga'a, mais doivent être conformes aux autres lois canadiennes.

Le traité avec les Nisga'a est signé par les chefs Nisga'a et par des représentants de la reine Elizabeth en 1999. Il sert de modèle pour les autres peuples autochtones qui cherchent depuis longtemps à régler leurs revendications territoriales.

1999 ▪ Le Nunavut

En 1999, les Inuits obtiennent finalement ce qu'ils revendiquent depuis les années 1970 : la partie est des Territoires du Nord-Ouest devient un territoire distinct qu'on appelle désormais le «Nunavut». Iqaluit est nommée capitale du nouveau territoire. Le nom *Nunavut* signifie «notre terre» en inuktitut, l'une des principales langues parlées par les Inuits. Le drapeau du nouveau territoire arbore un inukshuk (illustration ci-dessous), un point de repère en pierres construit par les Inuits. Environ 85 % des habitants du Nunavut sont inuits. Paul Okalit en devient le premier premier ministre.

En tant que territoire, le Nunavut ne dispose pas de la même autonomie gouvernementale qu'une province. Mais il est largement dirigé par les Inuits, qui occupent les postes supérieurs dans la fonction publique ainsi qu'au gouvernement.

La Déclaration de parenté et de coopération

L'Assemblée des Premières Nations représente les peuples autochtones au Canada. Lors d'une réunion sur le territoire des Salish du littoral tenue à Vancouver à l'été 1999, l'Assemblée des Premières Nations et le National Congress of American Indians se rencontrent pour signer la Déclaration de parenté et de coopération entre les peuples et nations autochtones d'Amérique du Nord. Cette déclaration affirme :

Nous, le peuple autochtone, savons que le Créateur nous a mis ici sur la Terre mère en tant que nations souveraines. Nous cherchons à vivre en paix, en toute liberté et en toute prospérité au sein de l'humanité selon nos propres lois traditionnelles. Nous sommes unis par les relations sacrées que nous entretenons avec la terre, l'air, l'eau et les ressources de nos territoires ancestraux. De plus, nous sommes unis par des origines, une histoire, des aspirations et une expérience communes. Nous sommes des frères et des sœurs, des dirigeants et des guerriers au sein de nos nations.

UN NOUVEAU MILLÉNAIRE 2000-2017

De nombreux Canadiens et des gens partout dans le monde anticipent avec inquiétude le passage au nouveau millénaire. Ils craignent que les ordinateurs ne puissent faire la différence entre 1900 et 2000 parce que, souvent, les ordinateurs utilisent uniquement les deux derniers chiffres de la date pour déterminer l'année. Certains croient que cela pourrait causer des bris mécaniques catastrophiques, comme d'importantes pannes de courant. On surnomme le problème éventuel «le bogue du millénaire» ou «le problème de l'an 2000». Heureusement, cela n'a entraîné que peu d'incidents.

Dans le nouveau millénaire, les Canadiens dépendent de plus en plus des technologies. Internet et les téléphones intelligents transforment la façon dont les gens ont accès aux informations et communiquent entre eux.

La première décennie du millénaire comporte deux crises économiques mondiales, mais le Canada s'en remet plus rapidement que bien d'autres pays. Au cours des années qui mènent à 2017, les Canadiens se réjouissent de célébrer le 150e anniversaire de leur pays avec enthousiasme et fierté.

2000 ▪ Le prix Booker de Margaret Atwood

Margaret Atwood est l'une des écrivaines canadiennes les plus connues et polyvalentes. Elle a écrit des romans, des nouvelles et des poèmes, ainsi que des livres pour enfants. Ses œuvres sont adaptées au théâtre, à la télévision, au cinéma et même à l'opéra.

Margaret publie son premier livre, un ouvrage de poésie, en 1961. Cinq ans plus tard, alors qu'elle n'a que 27 ans, son deuxième livre de poésie, *Le cercle vicieux*, remporte le Prix littéraire du Gouverneur général. Margaret commence à écrire des romans en 1969 et, 16 ans plus tard, on lui décerne un autre Prix du Gouverneur général pour son livre *La Servante écarlate*.

En 2000, elle remporte le prix Booker-McConnell (aujourd'hui appelé le Man Booker Prize for Fiction) – un important prix littéraire de Grande-Bretagne – pour son roman *Le tueur aveugle*. Ses écrits sont traduits en plus de 40 langues.

Margaret porte un intérêt particulier aux droits de la personne, et elle travaille pendant de nombreuses années avec Amnistie internationale, qui s'efforce de faire libérer des gens injustement emprisonnés en raison de leurs opinions. Lutter contre la censure des écrivains est aussi une priorité pour elle.

Margaret est également une inventrice. Elle a créé le LongPen, qui utilise la vidéo et la robotique pour permettre à un auteur de dédicacer un livre à distance. De plus, Margaret devient en 2014 la première de 100 auteurs qui participeront, à raison d'un par année, au projet Future Library (Bibliothèque du futur). Son histoire ne sera imprimée ou lue qu'en 2114 !

LE SAVAIS-TU ?

Michael Ondaatje est le premier Canadien à remporter le prix Booker-McConnell. Cette récompense lui est décernée en 1992 pour son roman *Le patient anglais*.

2001 ▪ La guerre en Afghanistan

Le 11 septembre 2001, des terroristes attaquent les États-Unis. En octobre de cette même année, le Canada envoie des soldats en Afghanistan, au sud-ouest de l'Asie. L'Afghanistan abrite alors les terroristes. Des milliers de Canadiens se joignent aux soldats d'autres pays qui se rendent à l'étranger pour s'assurer qu'une telle attaque terroriste ne se reproduira jamais.

Les soldats canadiens travaillent fort pour arrêter les terroristes, instaurer la paix et aider à reconstruire des routes, des écoles, etc. Puis, en 2006, l'artillerie, les soldats et les chars d'assaut canadiens sont envoyés dans la dangereuse province de Kandahar, au sud de l'Afghanistan, pour combattre les terroristes.

Après cinq années de lutte et plusieurs batailles importantes, le Canada met fin à sa mission de combat en Afghanistan en 2011. Certains soldats canadiens restent sur place pour former la police et l'armée afghanes, et pour continuer à collaborer à la reconstruction du pays. Les derniers soldats canadiens quittent l'Afghanistan en 2014.

Plus de 40 000 Canadiens ont servi en Afghanistan. Au total, 158 Canadiens sont morts et plus de 600 ont été blessés dans la lutte pour instaurer la paix et la sécurité dans le pays.

2002 ▪ La commémoration d'Africville

Le 5 juillet 2002, on procède au dévoilement d'une plaque à Halifax, en Nouvelle-Écosse, pour rappeler l'importance historique d'Africville. Cette zone en périphérie de la ville est d'abord colonisée par des esclaves noirs affranchis venant des États-Unis au milieu du 19e siècle. Africville se développe avec l'arrivée d'autres personnes de race noire provenant d'autres communautés.

Les habitants d'Africville sont victimes de discrimination et sont isolés dans leur communauté. Le village n'a pas l'électricité, l'eau courante, de routes convenables ni d'éclairage dans les rues. À cause des mauvaises conditions de vie, beaucoup de résidents éprouvent des problèmes de santé.

À partir de 1964, la population d'Africville est déplacée pour permettre la construction d'un pont et d'une autoroute. Les maisons, ainsi que l'église qui était le cœur de la communauté, sont démolies.

Les habitants d'Africville veulent que le gouvernement reconnaisse que leur communauté a été traitée injustement et que leur village est un lieu important de l'histoire canadienne. En 1996, Africville est finalement déclarée lieu historique national. Le 24 février 2010, le maire d'Halifax présente des excuses à la population d'Africville. L'année suivante, on rebâtit et on rouvre l'église qui était si importante pour la communauté.

2003 ▪ Le mariage homosexuel

Le Canada fait un grand pas vers l'égalité des droits le 10 juin 2003, avec la légalisation en Ontario du mariage de conjoints de même sexe. La province est le troisième endroit dans le monde et le premier en Amérique du Nord à légaliser le mariage entre deux hommes ou deux femmes.

Puis, en 2005, le gouvernement canadien légalise le mariage homosexuel partout au pays.

Michael Leshner et Michael Stark forment le premier couple homosexuel légalement marié au Canada. Ils estiment que leur union est synonyme d'égalité, d'espoir et d'inclusion.

2004 ▪ Une médaille d'or pour Chantal Petitclerc

Enfant, Chantal Petitclerc n'est pas très sportive. Mais à 13 ans, elle demeure paralysée à partir de la taille à la suite d'un accident. Elle décide de faire du sport pour rester en forme. Un entraîneur d'athlétisme remarque sa détermination et lui suggère d'essayer la course en fauteuil roulant. Bientôt, elle remporte des médailles aux Jeux paralympiques, dont cinq médailles d'or en 2004.

En plus de son entraînement, Chantal travaille comme animatrice de télé et commentatrice sportive à la radio. «Je travaille bien, affirme-t-elle, et il se trouve que je suis aussi en fauteuil roulant.» De plus, Chantal fait campagne pour que la course en fauteuil roulant soit reconnue comme discipline officielle aux Jeux olympiques. Elle est nommée sénatrice en 2016.

> «Le bonheur, c'est comme une médaille. C'est notre façon de vivre au quotidien qui nous permet de le gagner.»
>
> — Chantal Petitclerc

2005 ▪ Steve Nash, JPU

Steve Nash est l'un des plus grands meneurs de jeu de tous les temps. En 2005, il devient le premier Canadien à recevoir le prix du Joueur le plus utile à son équipe de la National Basketball Association (NBA). Il obtient le titre aussi l'année suivante. Steve est un bon joueur parce qu'il est habile pour manier le ballon, fabriquer des jeux et tirer. Il excelle aussi à anticiper où ira le ballon. Ses coéquipiers aiment jouer avec lui, et il travaille très fort.

Steve apporte aussi son appui à de nombreuses organisations caritatives. En 2006, le magazine *Time* le nomme parmi les 100 personnes les plus influentes dans le monde. Aux Jeux olympiques d'hiver de 2010 à Vancouver, Steve devient le premier joueur de la NBA à porter la flamme olympique.

> «J'estime que la mesure de la vie d'une personne est l'impact qu'elle a sur les autres.»
>
> — Steve Nash

2006 ▪ Le Toronto FC

Le 11 mai 2006, les Torontois apprennent qu'il y aura une nouvelle équipe dans leur ville. Le Toronto FC est la première équipe de la Ligue majeure de soccer (MLS) au Canada. FC veut dire «football club»; dans plusieurs pays du monde, le soccer est appelé «football».

L'équipe commence à jouer en avril 2007. Les partisans aiment tellement leur nouvelle équipe que celle-ci joue à guichets fermés pendant les trois premières années. Aujourd'hui, le Toronto FC affronte les équipes d'Edmonton, de Montréal, d'Ottawa et de Vancouver dans le Championnat canadien. L'équipe remporte quatre titres consécutifs de 2009 à 2012.

Le Toronto FC joue au BMO Field, le plus grand stade au Canada construit spécifiquement pour le soccer.

2007 ▪ Le débat sur l'Arctique

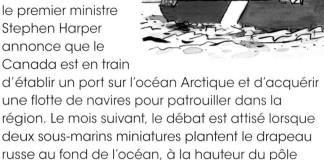

À qui appartiennent les terres et les eaux arctiques au nord du Canada ? En 2007, cette question fait l'objet d'un débat entre les cinq pays riverains de l'océan Arctique : le Canada, le Danemark, la Norvège, la Russie et les États-Unis. Le Canada revendique le territoire, principalement parce que les Inuits y habitent depuis des milliers d'années. Mais d'autres pays affirment que les voies navigables sont internationales.

Avec les changements climatiques, les glaces du Nord sont en train de fondre. Cela signifie qu'un plus grand nombre de bateaux peuvent circuler sur les eaux libres, à des fins militaires, pour le transport des marchandises ou des touristes. Il est également plus facile d'accéder aux ressources naturelles, comme les poissons, les minéraux, le pétrole, l'eau, etc.

En juillet 2007, le premier ministre Stephen Harper annonce que le Canada est en train d'établir un port sur l'océan Arctique et d'acquérir une flotte de navires pour patrouiller dans la région. Le mois suivant, le débat est attisé lorsque deux sous-marins miniatures plantent le drapeau russe au fond de l'océan, à la hauteur du pôle Nord, affirmant ainsi que cette région appartient à la Russie.

À mesure que le climat évolue, tout comme les technologies permettant d'extraire les ressources naturelles, il sera encore plus important de savoir à qui appartient l'Arctique.

2008 ▪ Des excuses au sujet des pensionnats autochtones

À l'époque de la Confédération en 1867, un fort courant cherche à faire en sorte que les Autochtones ressemblent plus aux autres Canadiens. Le gouvernement veut que les peuples autochtones abandonnent leur passé, leurs traditions et leurs langues. À partir des années 1880, ces pressions en vue de l'assimilation prennent une tournure tragique. Des enfants aussi jeunes que six ans sont enlevés à leur famille et « confiés » à des étrangers dans des pensionnats.

Quand les enfants arrivent dans les pensionnats, on coupe leurs longs cheveux et on leur donne un nom à résonnance plus « canadienne ». De plus, ils sont punis ou battus s'ils parlent leur langue maternelle. Beaucoup subissent des violences psychologiques, physiques et sexuelles de la part des autorités. Ils obtiennent rarement la permission de rendre visite à leurs parents. Si les parents et les familles peuvent venir les voir, ce n'est que pour de très courts moments.

Pendant de nombreuses années, les enfants qui vivent dans les pensionnats indiens souffrent souvent de la faim et passent la plus grande partie de leur temps à faire des corvées. Le peu d'éducation qu'ils reçoivent à l'école ne les prépare pas à trouver un emploi. De plus, on leur enlève la possibilité d'apprendre les habiletés traditionnelles de la chasse et de la pêche. Des milliers d'enfants ne rentrent jamais chez eux, mais perdent mystérieusement la vie dans ces écoles.

Nombre de ceux qui rentrent dans leur famille sont traumatisés, et les autres ont beaucoup de difficulté à se tailler une place au sein de leurs cultures traditionnelles.

La plupart des pensionnats indiens sont fermés au milieu des années 1970. Le dernier, situé en Saskatchewan, est fermé en 1996. La Commission de vérité et réconciliation du Canada est créée le 2 juin 2008 pour recueillir des renseignements au sujet des mauvais traitements subis dans les pensionnats autochtones et proposer des mesures à prendre. Le 15 décembre 2015, la Commission publie son rapport final, et ses documents sont désormais déposés au Centre national pour la vérité et la réconciliation, à Winnipeg. Le 11 juin 2008, le premier ministre présente des excuses aux survivants des pensionnats indiens.

2009 ▪ Le téléphone intelligent de BlackBerry

En 2009, plus du cinquième de tous les téléphones intelligents utilisés dans le monde sont fabriqués par une compagnie canadienne appelée Research In Motion (RIM). Basée à Waterloo, en Ontario, l'entreprise est rebaptisée *BlackBerry* en 2013.

La compagnie lance son premier appareil, un téléavertisseur courriel, en 1999. Il s'agit du premier dispositif permettant aux gens de vérifier leurs courriels, qui tient dans le creux de la main. Le téléphone intelligent BlackBerry est en vente en 2003. L'appareil est surnommé ainsi à cause des boutons du clavier qui ressemblent aux petits «grains» d'une mûre (en anglais, *blackberry*). Ses utilisateurs peuvent envoyer et recevoir des courriels, téléphoner, texter et naviguer sur le Web.

2010 ▪ Les constructions de Frank Gehry

Parmi les constructions de Frank Gehry, beaucoup sont déjà des attractions touristiques de renommée mondiale. Pas étonnant qu'en 2010 il soit nommé l'architecte le plus important de notre époque.

Beaucoup estiment que son musée Guggenheim à Bilbao, en Espagne, a transformé le monde de l'architecture. Fait de verre, de calcaire et de titane, le musée comporte de larges courbes, à la fois osées et spectaculaires.

Au Canada, Frank est surtout connu pour sa rénovation du Musée des beaux-arts de l'Ontario, à Toronto (illustration ci-dessous).

Enfant, il vivait dans le quartier où est situé le musée. Il crée un audacieux escalier en spirale, ainsi qu'une galerie en bois et en verre, qu'on décrit comme «un vaisseau de cristal navigant dans la ville».

En utilisant des ordinateurs et d'autres technologies, Frank continue de repousser les limites. Ses conceptions sont audacieuses et insolites, tout en étant chaleureuses et invitantes. Plusieurs choses l'inspirent, mais particulièrement les poissons et leur façon de se déplacer.

2011 ▪ Jack Layton et le NDP

Pour la première fois dans l'histoire du Canada, le 2 mai 2011, le Nouveau Parti démocratique (NPD) (page 64) devient l'opposition officielle. Cela signifie qu'à l'élection fédérale le NPD arrive en deuxième place pour le nombre de sièges obtenus à la Chambre des communes. Le parti fait élire 103 députés, un record pour le NPD. Il établit aussi un record pour le nombre de voix obtenues au Québec.

Lors de cette victoire historique, Jack Layton est le chef du NPD. Ce militant social est bien connu pour sa lutte contre les changements climatiques, l'itinérance, la violence faite aux femmes et de nombreux autres problèmes importants. Au sein de son parti, Jack est capable de réconcilier des groupes aux points de vue très différents. Au Parlement, les gens sont impressionnés par la façon dont il aide les divers partis à travailler ensemble.

Peu après l'élection, Jack annonce qu'il est atteint du cancer. Il s'est déjà battu contre cette maladie, alors les gens espèrent qu'il réussira de nouveau à la vaincre. Malheureusement, Jack meurt le 22 août 2011. Quelques jours plus tôt, il écrit une lettre qui devra être lue après sa mort. Il encourage les personnes atteintes du cancer à continuer de se battre et dit à quel point les jeunes Canadiens l'ont toujours inspiré.

> *«L'amour vaut mieux que la colère. L'espoir vaut mieux que la peur. L'optimisme vaut mieux que le désespoir. Alors soyons pleins d'amour, d'espoir et d'optimisme. Et nous changerons le monde.»*
>
> *— Jack Layton*

2012 ▪ Le mouvement Idle No More

En novembre 2012, de nombreux Autochtones sont furieux des changements que le gouvernement canadien s'apprête à apporter à ses lois et politiques. Ils sont particulièrement mécontents du projet de loi C-45. Des groupes autochtones de partout au pays estiment non seulement que le projet de loi réduirait leurs pouvoirs et leurs droits, mais qu'il serait également nuisible à l'environnement pour tous les Canadiens.

Trois femmes autochtones et une femme non autochtone, toutes de la Saskatchewan, s'envoient des courriels au sujet du projet de loi C-45. De fil en aiguille, elles créent une page Facebook qu'elles nomment «Idle No More» (Jamais plus l'inaction). Ce nom signifie que les peuples autochtones doivent cesser d'attendre que quelqu'un d'autre dise au gouvernement comment ils se sentent; il est temps pour eux d'agir.

Bientôt, des gens des Premières Nations, des Métis, des Inuits et des non-autochtones participent au mouvement. Des partisans d'Idle No More tiennent des manifestations, des rassemblements et des séances de formation. Dans des centres commerciaux, des foules éclair prennent part à des danses en rond spontanées. En décembre 2012, Theresa Spence, chef de la Première Nation Attawapiskat, entreprend une grève de la faim pour attirer l'attention sur les questions autochtones.

Au début de 2013, 7 personnes quittent une communauté crie de la baie James pour parcourir les 1 600 kilomètres qui les séparent d'Ottawa. Lorsqu'elles arrivent à destination, il y a environ 400 randonneurs.

Si Idle No More connaît une progression aussi rapide, c'est parce qu'il s'agit d'un mouvement de la base, c'est-à-dire qu'il est organisé par des gens ordinaires. Leurs actions ont sensibilisé les gens de partout au Canada et d'ailleurs dans le monde aux droits des Autochtones.

Les peuples autochtones continuent de demander de nouveaux processus de gouvernance pour traiter leurs revendications territoriales et souhaitent être reconnus comme les premiers habitants du Canada. De plus, plutôt qu'un simple règlement des revendications territoriales, ils souhaitent l'établissement de nouveaux principes qui mettent l'accent sur la réconciliation.

2013 ▪ Le prix Nobel d'Alice Munro

Alice Munro, la plus célèbre auteure de nouvelles du Canada, commence à écrire à l'adolescence. Au début, elle compose des récits d'aventures dont elle est souvent l'héroïne. Elle imite d'abord le style d'autres auteurs, mais elle développe progressivement sa propre écriture.

Alice écrit à propos de personnes et de situations bien ordinaires, dépeignant avec ses mots de vives images, des réflexions et des comportements. La plupart de ses récits parlent de la vie de femmes, des adolescentes aux plus âgées. Elle affirme que ses écrits sont «autobiographiques dans la forme, mais pas dans les faits».

Très douée pour l'écriture de dialogues, Alice est aussi extrêmement lucide et douée d'un excellent sens de l'observation. Elle peut donc créer des personnages tellement réalistes que ses lecteurs peuvent facilement s'identifier à eux.

Les œuvres d'Alice sont réalisées avec beaucoup de soin; elle les écrit et réécrit sans cesse, y apportant de petits changements toutefois importants. Tous ces efforts portent fruit: les écrits d'Alice ont remporté de nombreux prix partout dans le monde, dont plusieurs Prix littéraires du Gouverneur général. En 2013, elle reçoit le prix Nobel de littérature, la plus généreuse de toutes les récompenses littéraires du monde.

2014 ▪ Le navire perdu de Franklin

Pendant près de 170 ans, des explorateurs et des scientifiques ont fouillé les eaux glaciales de l'Arctique le long des côtes au nord du Canada, dans l'espoir de retrouver des traces d'une expédition dirigée par l'explorateur britannique John Franklin. Ce capitaine d'expérience, son équipage et deux navires – le HMS *Erebus* et le HSM *Terror* – ont quitté l'Angleterre en 1845, mais sont restés prisonniers des glaces et ne sont jamais revenus. Leur périple, désormais célèbre, est connu sous le nom d'«expédition de Franklin».

Même si de nombreux groupes recherchent Franklin et ses navires, pendant des années on n'en trouve que quelques traces. Dans les années 1980, l'anthropologue canadien Owen Beattie examine les corps de membres de l'équipage enterrés sur l'île Beechey, au Nunavut. Il établit qu'ils ont souffert d'intoxication au plomb, probablement après avoir mangé de la nourriture contenue dans des boîtes de conserve mal scellées. Mais le lieu du dernier repos de Franklin et de ses navires demeure un mystère.

Les historiens savent que l'expédition de Franklin s'est rendue au moins jusqu'à l'île Hat. En septembre 2014, à l'aide de renseignements fournis par les Inuits et grâce à la technologie moderne, des scientifiques de diverses organisations canadiennes finissent par trouver l'*Erebus*. Des plongeurs récupèrent une cloche de bronze provenant du navire, ainsi que des canons, des poulies et des câbles.

2015 ▪ L'Année du sport

La Coupe du monde féminine de soccer de la FIFA (Fédération internationale de football association) se tient pour la première fois au Canada en 2015, alors que des parties sont disputées dans des villes aux quatre coins du pays. C'est là l'un des nombreux championnats qui se tiennent au Canada cette année-là. Pas étonnant que le gouverneur général, David Johnston, ait déclaré 2015 «Année du sport».

En janvier, le Championnat du monde junior de hockey sur glace a lieu à Toronto et Montréal. Le mois suivant, les Jeux d'hiver du Canada se tiennent à Prince George, en Colombie-Britannique. En mars, Halifax accueille le championnat mondial Ford de curling masculin. Toronto est l'hôte des Jeux panaméricains en juillet, suivis des Jeux parapanaméricains.

Un nouveau Cabinet

Le chef libéral Justin Trudeau est élu premier ministre en octobre 2015. Quelques semaines plus tard, il annonce quels députés travailleront étroitement avec lui à titre de ministres de son Cabinet.

Le Cabinet de Justin est composé d'immigrants, d'Autochtones, de membres de minorités religieuses, d'une personne quadriplégique et même de l'ancien astronaute Marc Garneau (page 74).

Pour la première fois de l'histoire, le Cabinet compte autant de femmes que d'hommes. Quand une journaliste lui demande pourquoi cela était important, Justin répond : «Parce qu'on est en 2015.»

2016 ▪ Un festival mondial de théâtre pour enfants

Stratford, en Ontario, accueille le Festival mondial de théâtre pour enfants en juin 2016. C'est la première fois que le festival se tient en Amérique du Nord. Le thème est «Mon monde, notre planète». Environ 500 enfants provenant de 20 pays y présentent des pièces de théâtre montrant leur vision du monde et ce qui est important pour eux.

Stratford est choisie pour accueillir le festival, parce que la ville est l'hôte du Festival de Stratford. Cette célébration du théâtre, de renommée mondiale, met l'accent sur les pièces de l'écrivain britannique William Shakespeare, mais présente aussi des pièces de la Grèce antique, des comédies musicales, etc. Le Festival de Stratford a été l'un des premiers festivals d'art au Canada.

2017 ▪ Le Canada a 150 ans !

Chaque année, le 1ᵉʳ juillet, les Canadiens célèbrent l'anniversaire de leur pays avec des défilés, des feux d'artifice, des pique-niques, des fêtes, etc. Et 2017 marque un événement bien spécial : le 150ᵉ anniversaire du Canada !

Cette fête importante est l'occasion de poser notre regard sur les Canadiens remarquables et sur les événements qui ont fait la grandeur de notre pays. C'est aussi l'occasion de réfléchir à ce que représente le Canada pour nous. Par exemple, beaucoup de Canadiens sont particulièrement fiers de la diversité de notre pays. Le Canada possède une grande variété de traditions, de paysages, de peuples, de cuisines et de sports !

Le Canada est aussi un pays fort et pacifique, où les gens vivent ensemble dans le respect. Les peuples autochtones peuvent faire remonter leur généalogie jusqu'aux premiers habitants de ce territoire. Et d'autres Canadiens sont des descendants d'immigrants. À cause de cette diversité, les Canadiens sont reconnus pour leur capacité à travailler ensemble pour former un pays dont l'histoire est « une épopée des plus brillants exploits ». Les réalisations et les innovations de courageux Canadiens et Canadiennes confèrent à ce pays un passé d'une grande richesse et un avenir prometteur.

Bienvenue au Canada

Le 1ᵉʳ juillet de chaque année, de nombreuses communautés de partout au Canada tiennent des cérémonies de citoyenneté. Pour devenir citoyens canadiens, les immigrants doivent d'abord répondre à des questions sur des sujets tels que l'histoire, l'économie et le gouvernement du Canada. On peut par exemple leur demander comment les députés sont choisis (ils sont élus), ce que veut dire le mot *Inuit* (« les hommes ») ou le nom de la capitale de leur province ou territoire.

Lors d'une cérémonie de citoyenneté, les nouveaux Canadiens prêtent le serment de citoyenneté, par lequel chaque personne promet d'être fidèle à la reine Elizabeth, d'observer les lois du Canada et de remplir ses devoirs de citoyen canadien. Ils reçoivent ensuite un certificat de citoyenneté. Après des discours prononcés par des invités d'honneur, tous et toutes chantent l'hymne national.

DE GRANDS CANADIENS

Depuis 1867, beaucoup d'hommes et de femmes à la fois forts, courageux et déterminés ont fait du Canada un grand pays. Certains ont changé le pays et même transformé le monde. Ils sont trop nombreux pour qu'on puisse en parler dans un seul livre, mais en voici quelques-uns, qui sont la fierté de leur nation.

Max Aitken, lord Beaverbrook (1879-1964) était un homme d'affaires canadien prospère, un politicien et un propriétaire de journaux. Pendant la Première Guerre mondiale, depuis l'Europe, il envoyait au Canada des rapports sur les hauts faits des troupes canadiennes. Pour son travail pendant la guerre et en politique, Max a été nommé 1er baron Beaverbrook.

Louise Arbour (1947-) est reconnue partout dans le monde comme une militante pour les droits de la personne. Elle est la première Canadienne à occuper le poste de haut-commissaire des Nations Unies aux droits de l'homme. Son rôle consistait à donner une voix aux victimes de partout dans le monde dont les droits ont été bafoués.

Pitseolak Ashoona (1904-1983) est l'une des artistes inuites les plus connues du Canada. Au cours de sa carrière, elle a créé plus de 7 000 dessins et 250 gravures. L'imagerie et le style de ses œuvres rappellent la vie traditionnelle des Inuits. L'énergie et l'humour qu'elle y insufflait les ont rendues à la fois populaires et intemporelles.

William « Billy » Bishop (1894-1956) était pilote de chasse pendant la Première Guerre mondiale. Il a participé à 170 batailles aériennes pendant la guerre. On lui a décerné la Croix du service distingué dans l'Aviation pour avoir remporté 25 victoires en seulement 12 jours. Il a également reçu la Croix de Victoria, la plus haute distinction britannique pour bravoure au combat.

Henri Bourassa (1868-1952) a fondé le journal montréalais *Le Devoir*, l'un des journaux canadiens les plus importants. Politicien et ardent défenseur des droits et de la culture de langue française au Canada, il estimait que le pays devait être plus indépendant de la Grande-Bretagne.

Rosemary Brown (1930-2003) a été la première Noire élue à l'Assemblée législative provinciale de Colombie-Britannique. Deux ans plus tard, le Nouveau Parti démocratique lui demandait de se présenter comme chef. Malgré sa défaite, la course lui aura permis de sensibiliser les gens aux droits des femmes et des Noirs.

Floyd Chalmers (1898-1993) était un homme d'affaires et éditeur de magazines prospère. Il a appuyé financièrement de nombreuses causes, dont la formation de la Compagnie d'opéra canadienne et la construction d'un théâtre pour le Festival de Stratford, en Ontario. Aujourd'hui encore, le Chalmers Program aide de nombreux artistes.

Adrienne Clarkson (1939-) est gouverneure générale du Canada de 1999 à 2005. Elle est la première personne d'une minorité visible à occuper ce poste. Réfugiée de Hong Kong, sa famille est arrivée au Canada en 1942. Adrienne a travaillé comme animatrice-intervieweuse au réseau anglais de Radio-Canada, ainsi que comme journaliste.

Leonard Cohen (1934-2016) a été reconnu pour sa poésie avant de devenir chanteur et compositeur. Sa voix basse et bourrue caractéristique, à registre restreint, et les paroles poétiques de ses chansons l'ont rendu célèbre dans le monde entier. Des artistes de nombreux pays ont repris ses chansons mélancoliques.

Stompin' Tom Connors

(1936-2013) a écrit plus de 500 chansons, dont plusieurs font désormais partie de la culture canadienne. Parmi les plus connues, mentionnons des titres comme *Bud the Spud*, *The Hockey Song* et *Sudbury Saturday Night*. Il était surnommé «Stompin' Tom» (de l'anglais *to stomp*, taper du pied) parce qu'il tapait du pied en chantant. Il est devenu l'un des musiciens les plus populaires au Canada.

Arthur Currie (1875-1933)

a été l'un des premiers commandants du Corps canadien (principale unité militaire canadienne ayant combattu au cours de la Grande Guerre) né au Canada. Il était l'un des généraux les plus doués de la Première Guerre mondiale, reconnu pour son insistance sur la planification et la préparation. Il a organisé la célèbre offensive des Cent Jours (page 37), qui a contribué à la défaite des Allemands et à la fin de la guerre.

Roméo Dallaire (1946-) a été

le commandant en chef d'une force de maintien de la paix des Nations Unies au Rwanda, en Afrique centrale. Là, en 1994, il a désespérément tenté de prévenir

un horrible massacre, mais il n'avait pas suffisamment de Casques bleus pour y parvenir. Aujourd'hui, il continue de parler de ce qui s'est passé au Rwanda. Il aide les enfants touchés par la guerre, en particulier les enfants soldats.

Atom Egoyan (1960-) est l'un

des plus célèbres réalisateurs canadiens. Né en Égypte, il est prénommé Atom en l'honneur du premier réacteur nucléaire du pays. Il a remporté de nombreuses distinctions dans des festivals de cinéma partout dans le monde. Parmi ses films les plus célèbres, mentionnons *The Sweet Hereafter* (*De beaux lendemains*), *Ararat* et *Adoration*. Il a aussi mis en scène des opéras pour la Compagnie d'opéra canadienne.

Arthur Erickson (1924-2009)

était un architecte de Vancouver. Il a conçu d'impressionnants immeubles au Canada et partout dans le monde, dont l'Université Simon Fraser à Burnaby, en Colombie-Britannique. Il avait une préférence pour les matériaux simples, comme le béton, et s'en servait pour créer des structures spectaculaires.

Nancy Greene (1943-) est

une skieuse alpine dont le style agressif lui a valu le surnom «Tiger». Elle ne commence sérieusement la compétition qu'à 14 ans et, deux ans plus tard, elle est assez rapide pour faire partie de l'équipe olympique canadienne. Même si elle n'a pas gagné cette année-là, elle a fini par remporter de nombreuses médailles – dont l'or olympique –, après des années de travail acharné.

Chris Hadfield (1959-) est le

premier astronaute canadien à utiliser le bras spatial canadien (page 73), à marcher dans l'espace et à commander la Station spatiale internationale (SSI). Il a aussi réalisé la première vidéo tournée dans l'espace, où il interprète la chanson *Space Oddity* de David Bowie. À l'aide de photos, de micromessages et de vidéos, il a permis aux gens de mieux comprendre l'espace.

Clara Hughes (1972-) est

la seule athlète à avoir gagné plusieurs médailles aux Jeux olympiques d'été et d'hiver. Cette cycliste et patineuse de vitesse a remporté six médailles – seule la patineuse de vitesse Cindy Klassen a gagné autant de médailles olympiques pour le Canada. Après avoir elle-même souffert de dépression, Clara parle de ce sujet pour aider les autres.

Michaëlle Jean (1957-) devient gouverneure générale du Canada en 2005, la première personne de race noire à occuper ce poste. Réfugiée d'Haïti, Michaëlle a travaillé comme présentatrice et journaliste à la télévision. En 2014, elle est la première femme à occuper le poste de secrétaire générale de l'Organisation internationale de la Francophonie, un groupe qui représente les régions dont le français est la langue principale.

Pauline Johnson (1861-1913) a été l'une des écrivaines et artistes les plus populaires de son époque. Née d'un père mohawk, elle est aussi appelée Tekahionwake, ce qui signifie «double vie». Pauline a fait des tournées dans toute l'Amérique du Nord et la Grande-Bretagne, présentant sa poésie et parlant avec passion du Canada et des droits des Autochtones.

Lynn Johnston (1947-) est la bédéiste qui a créé la célèbre bande dessinée *For Better or For Worse* (*Pour le meilleur et pour le pire*), publiée dans plus de 2000 journaux dans 20 pays. Lynn a remporté de nombreuses récompenses pour son travail. Elle est également la première bédéiste à intégrer un personnage homosexuel dans une bande dessinée canadienne.

Cornelius Krieghoff (1815-1872) est un artiste célèbre reconnu pour ses peintures de colons du Québec et d'Autochtones. Ses oeuvres racontent des histoires intéressantes, et il savait quels détails y inclure pour capter la richesse – et la rigueur – de la vie des gens du Québec à son époque.

Dany Laferrière (1953-) est un auteur reconnu internationalement. Sacré immortel de la littérature à 62 ans, il est le plus jeune écrivain admis à l'Académie française. Il est aussi le premier Canadien d'origine haïtienne à y faire son entrée.

Silken Laumann (1964-) n'a que 19 ans, en 1984, lorsqu'elle remporte une médaille de bronze olympique en aviron. En 1991, elle est la meilleure rameuse du monde. Peu avant les Olympiques de 1992, Silken est gravement blessée dans un accident d'aviron. Elle participe quand même aux compétitions et remporte une médaille de bronze.

Stephen Leacock (1869-1944) était professeur, humoriste et l'un des premiers écrivains canadiens connu à l'échelle mondiale. La Stephen Leacock Medal for Humour est décernée chaque année en son honneur à l'auteur canadien du meilleur livre d'humour.

Stephen Lewis (1937-) est un politicien, diplomate et auteur qui a servi comme ambassadeur du Canada auprès de l'Organisation des Nations Unies. Il est aujourd'hui célèbre pour sa lutte contre le VIH/sida, particulièrement en Afrique, grâce à son organisation AIDS-Free World et à la Fondation Stephen Lewis, et à ses prises de position pour la défense des droits des femmes.

Ashley MacIsaac (1975-) est un violoniste talentueux et un interprète dynamique. Il a grandi sur l'île du Cap Breton, en Nouvelle-Écosse, jouant de la musique celtique traditionnelle. Puis Ashley y ajoute des rythmes de danse moderne et un petit côté punk rock, et sa musique devient incroyablement populaire partout dans le monde.

Hart Massey (1823-1896) était un homme d'affaires astucieux qui comprenait l'importance de fabriquer des machines modernes. Sous son leadership, l'entreprise manufacturière de sa famille est devenue la première en Amérique du Nord à exporter de la machinerie agricole dans divers pays du monde. Hart donnait généreusement à de nombreuses œuvres de bienfaisance et a construit le Massey Hall, à Toronto.

Joni Mitchell (1943-) est l'une des auteures-compositrices-interprètes les plus connues au Canada. Elle a écrit certaines des chansons populaires les plus célèbres. Joni a reçu des récompenses partout dans le monde pour son style unique à la guitare, ses paroles de chansons intéressantes et sa voix douce, au registre élevé.

W. O. Mitchell (1914-1998) était un auteur originaire de Weyburn, en Saskatchewan. Il est célèbre pour ses romans sur la vie dans les Prairies, dont *Qui a vu le vent*. Il est plus tard bien connu pour son recueil de nouvelles *Jake and the Kid*, qui a fait l'objet d'une adaptation pour la radio et la télévision.

Hayley Wickenheiser (1978-) est considérée par plusieurs comme la plus grande joueuse de hockey au monde. Elle a gagné quatre médailles d'or olympiques – aucun autre athlète canadien n'a remporté autant de médailles d'or. En 2003, alors qu'elle joue pour une équipe finlandaise, elle devient la première femme à compter un but dans une ligue masculine professionnelle.

Norval Morrisseau (1932-2007) était un célèbre peintre ojibwé reconnu pour avoir créé le style d'art indien des régions boisées, qu'on appelle aussi «l'art rayon X», utilisé par de nombreux artistes autochtones. Ses peintures aux couleurs vives, pleines d'énergie, sont exposées dans des galeries et musées partout dans le monde.

Bobby Orr (1948-) est un défenseur très rapide qui a révolutionné le rôle des défenseurs au hockey. Il est le seul défenseur de la Ligue nationale de hockey (LNH) à remporter le titre de meilleur compteur, exploit qu'il réussit à deux reprises. Bobby est nommé huit fois le meilleur défenseur de la LNH – un record. Il est l'un des plus grands joueurs de hockey de tous les temps.

Grey Owl (1888-1938) est devenu célèbre en Amérique du Nord et en Grande-Bretagne grâce à son amour de la nature et des animaux. Il a écrit des livres et donné des conférences sur l'importance de préserver l'environnement. Les gens le croyaient autochtone, mais après sa mort on a découvert qu'il était en fait un Anglais de naissance et s'appelait Archibald Belaney. On reconnaît encore aujourd'hui son œuvre de défenseur de l'environnement.

Sarah Polley (1979-) est une actrice et réalisatrice qui produit des films importants pour la société. Elle a connu un succès international avec son rôle de Sara Stanley dans la série télévisée *Road to Avonlea* (*Les contes d'Avonlea*), basée sur les romans de Lucy Maud Montgomery (page 30). Elle a remporté de nombreux prix et a été sélectionnée pour l'Oscar du meilleur scénario adapté.

Mordecai Richler (1931-2001) a remporté de nombreux prix pour ses livres, tant destinés aux adultes qu'aux enfants. Son célèbre livre pour enfants *Jacob deux-deux et le vampire masqué* a fait l'objet d'un film. Cet écrivain de fiction, l'un des plus importants du Canada, est particulièrement reconnu pour ses écrits humoristiques et pleins d'esprit à propos de la vie dans les quartiers juifs de Montréal.

Joseph «Joey» Smallwood (1900-1991) était l'un des principaux promoteurs de l'entrée de Terre-Neuve dans le Canada en 1949. Il est devenu le premier premier ministre de la province cette année-là, poste qu'il a occupé pendant de nombreuses années. Joey était doté d'une personnalité forte et a travaillé à la modernisation du système d'éducation et des transports dans la province.

Joyce Wieland (1931-1998) a été la première artiste féminine à avoir fait l'objet, de son vivant, d'une exposition majeure au Musée des beaux-arts du Canada, à Ottawa. Parmi ses œuvres, pleines d'esprit et inventives, on trouve des peintures, des dessins, des collages, des films, des bandes dessinées, des tricots, des courtepointes… et même un gâteau! Joyce était inspirée par la politique, notamment par les questions relatives aux femmes, et par son pays.

Florence Wyle (1881-1968) et **Frances Loring** (1887-1968) ont montré que la sculpture est une forme d'art aussi importante que les autres. Florence est reconnue pour ses sculptures d'enfants et d'animaux. Elle a été la première sculptrice à devenir membre à part entière de l'Académie royale des arts du Canada. Frances s'est fait connaître pour ses monuments de guerre. Elle a fondé la Société des sculpteurs du Canada.

INDEX